CW00530609

L'art de lire

L'art de lire

Emile Faguet

Homme et Littérature

© Le Mono

ISBN : 978-2-36659-520-8

EAN : 9782366595208

Avant-Propos

On lit très peu, disait Voltaire, et, parmi ceux qui veulent s'instruire, la plupart lisent très mal. De même un épigrammatiste inconnu, du moins de moi, disait, au commencement, je crois, du XIXe siècle :

Le sort des hommes est ceci :
Beaucoup d'appelés, peu d'élus ;
Le sort des livres, le voici :
Beaucoup d'épelés, peu de lus.

Savoir lire, on le sent, est donc un art et il y a un art de lire. C'est à quoi songeait Sainte-Beuve quand il disait : « Le critique n'est qu'un homme qui sait lire et qui apprend à lire aux autres. »

Mais en quoi cet art consiste-t-il ? Je crois que nous voilà tous embarrassés.

Un art se définissant d'après le but qu'il se propose, nous avons sans doute à nous demander pourquoi nous lisons. Est-ce pour nous instruire ? Est-ce pour juger des ouvrages ? Est-ce pour en jouir ? Si c'est pour nous instruire, nous devons lire très lentement, en notant plume en main tout ce que le livre nous apprend, tout ce qu'il contient d'inconnu pour nous — et puis, nous devons relire, très lentement, tout ce que nous avons écrit. C'est un travail très sérieux, très grave et où il n'y a aucun plaisir, si ce n'est celui de se sentir plus instruit de moment en moment.

Est-ce pour juger des ouvrages, en d'autres termes, est-ce lire en critique ? Tout de même, il faudra lire très lentement, en prenant des notes et même en notant sur fiches. Fiches relatives à l'invention, aux idées nouvelles ; fiches relatives à la disposition, au plan, à la manière dont l'auteur conduit ses idées ou conduit son récit, ou mêle ses idées à son récit ; fiches sur le style, sur la langue ; fiches de discussion enfin, c'est-à-dire sur les idées de l'auteur comparées aux vôtres, sur son goût comparé à celui que vous avez, sur ses idées encore et son goût comparés à ceux de notre génération ou à ceux de la génération dont il était, etc. De toutes ces fiches, vous constituez l'idée générale que vous vous faites de l'auteur et les idées particulières que vous avez sur lui et vous n'avez plus qu'à rattacher logiquement ou vraisemblablement ces idées particulières à cette idée générale, pour faire, sinon un bon article, du moins un article qui se tienne.

Seulement vous aurez appris à votre lecteur à lire en critique, et non pas à lire pour jouir de sa lecture, et peu s'en faut que le mot de Sainte-Beuve ne soit faux : le critique ne sait pas lire pour son plaisir et n'apprend pas aux autres à lire pour le leur. Il apprend au lecteur à lire en critique. Or lire en critique n'est pas un plaisir ou du moins est un plaisir très particulier, mêlé de beaucoup de sécheresse. Sarcey me disait, vers la fin de sa vie, il est vrai : « Comme je suis las de lire les livres pour savoir ce que j'en dirai ! Ce n'est plus lire, cela ; ce n'est plus s'abandonner ; c'est réagir ; c'est lire en soi beaucoup plus que dans l'auteur. » Il avait bien un peu raison. À quoi donc sert le critique ? À faire lire l'auteur *à un certain point de vue*. Son article est une sorte d'introduction à l'auteur dont il s'agit, introduction, qui, du reste, peut être fort utile. Selon que le lecteur a lu déjà ou n'a pas lu l'auteur, le critique l'invite à lire dans telle disposition générale ou à relire (ou repenser) selon telle orientation nouvelle. Dans le premier cas, il lui dit : « songez à ceci » ; dans le second : « avez-vous songé à ceci ? ». Pour parler comme Bonald, qui voyait tout par trois et dans chaque triade un médiateur, la lecture se compose de trois personnages : l'auteur, le lecteur ; et le critique est le médiateur.

Mais, encore une fois, le critique est un homme qui ne sait lire qu'en critique et qui n'apprend à lire qu'en critique, qui n'enseigne que la lecture critique, dont, du reste, je ne songe à dire aucun mal. Mais voulez-vous lire seulement pour jouir de vos lectures ? Voulez-vous apprendre à lire comme on apprend à jouer du violon, c'est-à-dire pour savoir en jouer et pour prendre le plus grand plaisir possible en en jouant ? C'est un tout autre but ; c'est un tout autre point de vue, et c'est à cet art seul qu'est consacré le petit livre que je commence.

CHAPITRE I

Lire lentement

Pour apprendre à lire, il faut d'abord lire très lentement et ensuite il faut lire très lentement et, toujours, jusqu'au dernier livre qui aura l'honneur d'être lu par vous, il faudra lire très lentement. Il faut lire aussi lentement un livre pour en jouir que pour s'instruire par lui ou le critiquer. Flaubert disait : « Ah ! ces hommes du XVIIe siècle ! Comme ils savaient le latin ! Comme ils lisaient lentement ! » Même sans dessein d'écrire soi-même, il faut lire avec lenteur, quoi que ce soit, en se demandant toujours si l'on a bien compris et si l'idée que vous venez de recevoir est bien celle de l'auteur et non la vôtre. « Est-ce bien cela ? » doit être la question continuelle que le lecteur se fait à lui-même.

Il y a une manie des philologues qui est un peu divertissante, mais qui part du meilleur sentiment du monde et dont nous devons avoir et conserver comme le principe, comme la racine. Ils se demandent toujours : « Est-ce bien le texte ? N'y a-t-il pas *ergo* au lieu de *ego*, et *ex templo* au lieu de *extemplo*. Cela ferait une différence. » Cette manie leur est venue d'une excellente habitude, qui est de lire lentement, qui est de se défier du premier sens qu'ils voient aux choses, qui est de pas s'abandonner, qui est de ne pas être paresseux en lisant. On dit que, dans le texte de Pascal sur le ciron, voyant le manuscrit, Cousin lisait : « …dans l'enceinte de ce raccourci d'abîme. » Et il admirait ! Il admirait ! Il y avait : « dans l'enceinte de ce raccourci d'atome », ce qui a un sens. Cousin, entraîné par son enthousiasme romantique, ne s'était pas demandé si « raccourci d'abîme » en avait un. Il ne faut pas avoir de paresse en lisant, même lyrique.

Ni de précipitation. La précipitation n'est d'ailleurs qu'une autre forme de la paresse. Nos pères disaient : « lire des doigts ». Cela voulait dire feuilleter, de telle sorte que, tout compte fait, les doigts aient plus de travail que les yeux. « M. Beyle lisait beaucoup des doigts, c'est-à-dire qu'il parcourait beaucoup plus qu'il ne lisait et qu'il tombait toujours sur l'endroit essentiel et curieux du livre. » Il ne faut pas penser trop de mal de cette méthode qui est celle des hommes qui sont, comme Beyle, des collectionneurs d'idées. Seulement cette méthode ôte tout le plaisir de la lecture et y substitue celui de la chasse. Si vous voulez être un lecteur *dilettante* et non un chasseur, c'est le contraire même de cette méthode qui doit être la vôtre. Il ne faut pas du tout lire des doigts, ni lire en diagonale, comme on a dit aussi d'une manière très pittoresque. Il faut lire avec un esprit très attentif et très défiant de la première impression.

Vous me direz qu'il y a des livres qui ne peuvent pas être lus lentement, qui ne supportent pas la lecture lente. Il y en a, en effet ; mais ce sont ceux-là qu'il ne faut pas lire du tout. Premier bienfait de la lecture lente : elle fait le départ, du premier coup, entre le livre à lire et le livre qui n'est fait que pour n'être pas lu.

Lire lentement, c'est le premier principe et qui s'applique absolument à toute lecture. C'est l'art de lire comme en essence.

Y en a-t-il d'autres ? Oui ; mais dont aucun ne s'applique à tous les livres indistinctement. En dehors de « lire lentement », il n'y a pas *un* art de lire ; il y a *des* arts de lire et très différents selon les différents ouvrages. Ce sont ces arts de lire que nous allons successivement essayer de démêler.

CHAPITRE II

Les livres d'idées

Il y a des livres d'idées, comme le *Discours de la Méthode*, l'*Esprit des Lois*, le *Cours de Philosophie positive*. Il y a des livres de sentiments, comme les *Confessions* et les *Mémoires d'Outre-tombe*. Il y a des poèmes dramatiques. Il y a des poèmes lyriques. Il est évident que, sauf ce précepte général de lire avec attention et réflexion continuelles, l'art de lire ne peut pas être le même pour ces différents genres d'écrits. Il y a un art de lire pour chacun.

L'art de lire les livres d'idées me semble être celui-ci.

C'est un art de comparaison et de rapprochement continuel. Matériellement on lit un livre d'idées autant en tournant les feuillets de gauche à droite qu'en les tournant de droite à gauche, je veux dire autant en revenant à ce qu'on a lu qu'en continuant de lire. L'homme à idées étant, plus encore qu'un autre, un homme qui ne peut pas tout dire à la fois, se complète et s'éclaire en avançant et on ne le possède que quand on l'a lu tout entier. Il faut donc, à mesure qu'il se complète et qu'il s'éclaire, tenir compte sans cesse, pour comprendre ce qu'on en lit aujourd'hui, de ce qu'on en a lu hier, et pour mieux comprendre ce qu'on en a lu hier, de ce qu'on en lit aujourd'hui.

Ainsi se dessinent dans votre esprit les idées les plus générales de votre penseur, celles qu'il a eues avant toutes les autres et dont toutes les autres ont découlé ; — *ou* celles qu'il a eues tout à la fin, comme conséquences et comme synthèse d'une foule d'idées particulières ; — *ou* (plus souvent) celles qu'il a eues au milieu de sa carrière intellectuelle et qui étaient le résumé d'un grand nombre d'idées particulières et qui à leur tour ont produit, ont créé des idées particulières en très grand nombre.

Si vous lisez Platon par exemple, vous croyez bien vous apercevoir que la première idée générale qu'il a eue, c'est l'horreur de la démocratie athénienne qui avait tué Socrate. Vous observez que toute sa politique doit venir de là, et vous êtes amené ainsi à comparer tel ou tel texte des *Lois* à la fameuse prosopopée des Lois dans le *Criton*. Vous vous dites que Platon est avant tout un aristocrate, mais qu'une sorte de respect stoïque et même chevaleresque de la loi est une chose qu'il doit avoir dans le cœur puisqu'il l'admire si fort dans le cœur des autres. Il serait donc une sorte de républicain aristocrate, républicain c'est-à-dire ne voulant être que sujet de la loi et voulant que la loi soit plus puissante que tous les hommes, aristocrate c'est-à-dire ne voulant pas du commandement de la foule.

Mais n'y a-t-il pas contradiction et n'est-ce point la foule qui fait la loi ? Non, dans une république aristocratique ; non, surtout si vous observez que Platon parle surtout du respect aux lois *anciennes*, qui ne sont, au moment présent, l'œuvre ni de la foule, ni d'une élite, mais l'œuvre du passé, l'œuvre lente des siècles ; et vous arrivez à cette conclusion que peut-être Platon est un homme qui veut qu'un peuple soit surtout gouverné par son passé, ce qui est l'essence même de l'aristocratisme. — Vous vous trompez peut-être ; mais vous avez comparé, rapproché, contrôlé une idée par l'autre, limité ou rectifié une idée par l'autre, et vous avez goûté le plaisir qui est celui que l'on doit aller chercher chez un penseur, qui est le plaisir de penser.

J'ai parlé d'idées générales dont l'auteur est *parti* et qui ont fait naître des idées particulières. Vous remarquerez toujours que, quand il s'agit d'une idée générale d'où l'auteur est parti, cette idée est un sentiment. Pour Platon, la haine de la démocratie, c'est le culte de Socrate. Mais j'ai parlé d'idées générales où l'auteur est arrivé, peu à peu en ramassant un grand nombre d'idées ou d'observations de détail. Platon vous paraîtra avoir procédé ainsi pour arriver à sa théorie des idées. Il est monothéiste, comme plusieurs de ses prédécesseurs en philosophie ; il est monothéiste ; que le monde soit susceptible d'être ramené à une seule loi, c'est une idée qui a commencé à envahir l'esprit humain et à s'imposer à lui ; mais, d'autre part, il est trop Grec pour ne pas rester un peu polythéiste, pour ne pas croire que des forces multiples et diverses gouvernent le monde et se le disputent. N'est-ce point pour cela qu'il imagine son monde des Idées, vivant dans le sein de Dieu, substances et âmes intérieures de toutes les choses qui existent ? Qu'est-ce que ceci ? C'est un Olympe spirituel substitué à un Olympe matériel ; c'est un Olympe d'âmes pures substitué à un Olympe de surhommes, à un Olympe anthropomorphique. C'est le livre d'un païen mystique, d'un païen spiritualisé. Vous comparez ; vous rapprochez ; vous vous souvenez que Platon adore les mythes, c'est-à-dire les théories habillées en fables, en manière de poèmes épiques ; et vous vous dites que la rencontre d'un mythologue et d'un spiritualiste a produit cette théorie des idées vivantes, des abstractions qui sont des êtres, des abstractions qui sont des forces, des abstractions qui sont des dieux. Et vous pouvez encore vous tromper ; mais vous ne mécontenteriez pas Platon qui, comme tous les philosophes, écrit moins pour être admiré que pour être compris et même moins pour être compris que pour faire penser. Vous avez pensé ; il a gagné la partie.

Et encore il y a des idées générales qui viennent dans le cerveau du penseur après toutes les autres, ou bien à peu près ; et celles-ci, idées filles d'idées, elles n'ont presque plus aucun rapport avec le sentiment. Distinguez-les comme telles et voyez-les comme aussi téméraires qu'elles sont pures et comme aussi aventureuses qu'elles sont abstraites. Qu'est-ce que Dieu pour Platon ? Non pas un être qu'on adore par mouvement du cœur et élan de l'instinct, mais une doctrine que d'autres doctrines ont amené peu à peu à croire vraie ; Dieu pour Platon est une conclusion ; la foi de Platon est une logique. Ce n'est pas chose à lui reprocher ; mais comme cela nous intéresse de comparer cette religion philosophique aux religions où Dieu est « sensible au cœur » c'est-à-dire à l'intuition immédiate de tout l'être vivant ! Lesquels ont raison ? Eh ! pour le moment, qu'importe ? Pour le moment, je n'apprends qu'à lire.

Lire un philosophe, c'est le comparer sans cesse à lui-même ; c'est voir ce qui en lui est sentiment, idée sentimentale, idée résultant d'un mélange de sentiment et d'idées, idée idéologique enfin, c'est-à-dire résultant d'une lente accumulation, dans l'esprit du penseur, d'idées pures ou presque pures.

Vous lisez Montesquieu. Vous apprenez assez vite que cet homme n'a qu'une passion : c'est la haine du despotisme. Ce qu'on déteste le plus au monde, quand on a l'âme active et non pas seulement passive et soumise, c'est ce que l'on a vu autour de soi à vingt ans. Et je ne dis pas que cela soit très bon ; Je dis seulement qu'il en est ainsi. Montesquieu a vu à vingt ans la fin du règne de Louis XIV ; ce qu'il déteste le plus au monde c'est le despotisme. Observons-le encore, en lisant surtout les *Lettres persanes* : ce qu'il n'aime pas non plus, c'est la religion catholique. Pourquoi ? mais sans doute parce que la religion catholique a été une très bonne alliée de Louis XIV surtout dans la dernière partie de son règne, et un bon soutien de son trône. Or que lisons-nous dans l'*Esprit des Lois* ? Que la religion est une des meilleures choses d'un État bien réglé. Quelle est cette contradiction ? N'y aurait-il pas là seulement ceci que nous sommes passés d'une idée de sentiment à une idée de raisonnement ? Montesquieu est porté à la haine du despotisme. Il a songé, assez naturellement, à tout ce qui pouvait l'arrêter, le réfréner, l'endiguer, l'entraver et l'amortir. Parmi les différentes forces qui pouvaient avoir cet effet, il a rencontré la religion, comme il a rencontré l'aristocratie militaire, comme il a rencontré la magistrature. Dès lors, la religion lui est apparue sous un autre aspect et je ne dis pas qu'il ait eu pour elle tendresse d'âme ; mais il a eu pour elle tendresse d'esprit. Évolution des idées se dégageant peu à peu des sentiments dont elles sont parties.

Nous rencontrons dans Montesquieu cette grande idée générale : influence des climats sur les tempéraments, et sur les mœurs, et sur les idées, et sur les institutions des peuples.

Et nous ne manquons pas d'envisager Montesquieu comme le théoricien matérialiste ou fataliste des législations. Que voyons-nous tout à côté ? Cette idée qu'il faut combattre le climat par les mœurs ; et les mœurs, telles qu'elles sont restées encore sous l'influence du climat, par les lois. Mais cela est-il possible ? À quoi croit-il donc ? Il est à supposer qu'il croit à deux choses : c'est à savoir à l'empire des choses sur nous et au pouvoir de nous sur les choses. Il croit sans doute, comme a dit Montaigne, que la fatalité nous mâche ; il croit sans doute aussi que l'esprit humain peut réagir contre la fatalité. Les climats font nos mœurs, nos mœurs font les lois ; oui, mais aussi nos lois font nos mœurs et nos mœurs peuvent combattre le climat.

Mais avec quoi ferons-nous des lois contre nos mœurs et ensuite des mœurs qui, pénétrées de nos lois, combattront le climat ? Avec, sans doute, la force de notre esprit même. Un fataliste spiritualiste et d'autant plus spiritualiste, car il le faut, qu'il est plus fataliste, tel est donc Montesquieu ? Il paraît bien. Du moins à le supposer tel, par comparaison que nous aurons faite de lui à lui, nous aurons pensé, nous aurons réfléchi sur ces différentes forces, extérieures que nous subissons, intérieures que nous saisissons ou croyons saisir ; extérieures que nous sentons, intérieures dont nous prenons conscience ; et nous aurons, en tout cas, élargi le cercle de notre esprit.

Nous lisons Descartes. Première impression : quel positiviste ! Ne rien croire sur autorité, ne rien croire que sur observation faite par nous et réflexion faite par nous. Et éclairés par quelle lumière ? Assurés par quel critérium ? Par « l'évidence » c'est-à-dire par la nécessité où nous serons de

19

croire à moins de renoncer à notre intellect lui-même, par la nécessité où nous serons de croire sous peine de suicide intellectuel. C'est le positivisme lui-même.

Poursuivez, lisez encore et rapprochez. Mais qui nous assurera que notre évidence n'est pas trompeuse ? Rien ! — Si ! Dieu ! Dieu qui ne peut pas se tromper ni nous tromper, et qui, par conséquent nous a donné une évidence qui n'est pas une illusion d'évidence et par lequel nous sommes donc assurés qu'à croire à notre évidence nous ne serons pas illusionnés. Mais reprenons : Dieu qui ne peut pas se tromper, c'est Dieu-vérité, et Dieu qui ne peut pas nous tromper, c'est Dieu-bonté. Pour croire à notre évidence, c'est donc à Dieu-omniscient et à Dieu-providence qu'il faut croire, et notre condition de connaissance, c'est donc Dieu-vérité et Dieu-providence. Et cette connaissance dépendant de Dieu-providence, ce n'est pas très différent de la vision en Dieu de Malebranche. Ne voir que parce que Dieu permet que nous voyons, c'est voir en Dieu ; voir par Dieu, c'est voir en Dieu. Descartes n'est donc pas un positiviste, c'est un déiste et quel déiste ! C'est un mystique. Par la comparaison des deux idées principales de Descartes, nous avons retourné Descartes et du père du positivisme moderne nous avons fait le tenant le plus radical du déisme et du providentialisme traditionnel.

Est-ce là ce qu'il est ? Je n'en sais rien ; il est très probable, à mon avis, mais je n'en sais rien ; mais ce que je sais, c'est que nous avons pensé. Nous avons pensé, en nous souvenant, à travers les *Méditations* du *Discours de la Méthode* et en contrôlant le *Discours de la Méthode* par les *Méditations* ; et nous avons fait comme le tour du problème de la connaissance, nous apercevant que notre moyen essentiel de connaître est subordonné à quelque chose que nous ne pouvons pas connaître ; nous apercevant que notre connaissance se résout en foi, soit à elle-même, soit à quelque chose d'inconnaissable. Qu'avons-nous gagné ? De comprendre une intelligence de premier ordre, de comprendre une intelligence supérieure à nous et par conséquent, sans doute, d'avoir développé la nôtre.

Nous lisons un simple moraliste, La Rochefoucauld par exemple. Nous nous apercevons qu'il ne croit à aucune vertu. Cela peut nous révolter. Cela peut aussi nous paraître très facile à réfuter par une donnée immédiate de la conscience, par cette affirmation de notre être intime que, si nous sentons en nous bien des vices, nous nous saisissons aussi à tel moment comme capable d'une vertu et comme dans une sorte d'impuissance de ne pas céder à son appel. Voilà qui est bien ; mais, à nous en tenir là, nous sommes encore loin de notre auteur, nous nous tenons à distance de lui, nous n'entrons pas dans son intimité ; tranchons le mot, nous ne le lisons pas. Approchons-nous, voyons de plus près. Que voyons-nous peu à peu ? Qu'il y a des nuances et que très souvent La Rochefoucauld dit : « toujours », mais qu'assez souvent aussi il dit : « quelquefois » ; qu'il est beaucoup moins tranchant au fond qu'il ne parait l'être au premier regard ; qu'il ne faut pas le voir comme un bloc. Il y a plus ; nous nous apercevrons bientôt, rien qu'en faisant mentalement une petite liste des vertus humaines, qu'il y a des vertus dont il ne parle pas et par conséquent des vertus qu'il ne nie point. Il ne nie point l'amour paternel, l'amour maternel ; et c'est probablement qu'il reconnaît qu'ils existent et à l'état pur. S'il dit : « si l'on croit que c'est par amour pour elle que l'on aime une femme, on est bien trompé », il ne dit point : « si une mère croit que c'est par amour pour lui qu'elle aime son enfant, elle se trompe ». Il n'a pas poussé jusque-là son scepticisme. Son scepticisme a donc des bornes. Eh bien ! traçons-les et, en délimitant la pensée de notre auteur, nous l'aurons mieux compris ; nous l'aurons compris. Lire un philosophe, c'est le relire si attentivement qu'on l'analyse.

Relisons encore celui-ci et apercevons-nous, ce qu'il est impossible que nous ne finissions pas par saisir, de son procédé. Son procédé, par comparaison d'un nombre suffisant de ses maximes entre elles nous le surprendrons, est celui-ci : dissoudre en quelque sorte, diluer une vertu qu'il entreprend, dans tous les défauts qui l'avoisinent ; le courage, par exemple, dans le désir de briller, la générosité dans l'ostentation, la loyauté dans le désir d'inspirer une confiance dont on retirera des bénéfices, etc. Fort bien ; mais dès lors, si l'on peut dissoudre les vertus dans les défauts qui les avoisinent, on peut dissoudre aussi les défauts dans les vertus qui sont proches d'eux et dire : « Tel homme désire briller ; et pour cela se met toujours en avant ; mais au fond de cela, il y a du courage. Tel homme veut qu'on le sache généreux ; mais, pour qu'on le sache, il l'est en effet ; il faut bien qu'il le soit même au fond pour faire tant de sacrifices à vouloir qu'on sache qu'il l'est. C'est en somme un assez bon homme. » Maître du procédé d'un auteur, vous pouvez toujours le retourner contre lui. Et d'abord, c'est un jeu divertissant, donc une jouissance ; mais ce n'est pas seulement un jeu ; c'est posséder son auteur jusqu'en son fond, c'est saisir comme sa racine, comme le germe d'où son œuvre est sortie et d'où elle pouvait sortir la même sans doute, mais dans une autre direction ; et c'est en vérité le bien connaître.

On ne connaît sans doute quelqu'un que quand on sait ce qu'il est et aussi ce qu'il pouvait être.

En revenant encore à M. le duc, que voyons-nous qu'il affirme toujours ? Que l'égoïsme, l'intérêt, l'amour-propre, comme il dit, est le fond de tous nos sentiments et le mobile de toutes nos actions. Vous réfléchissez là-dessus et vous vous dites : « Mais… plût à Dieu ! Dire que nous agissons toujours en vue de notre intérêt, c'est dire que nous n'agissons jamais par bonté, mais c'est dire aussi que nous n'agissons jamais par méchanceté, que l'homme ne fait jamais le mal pour le plaisir de faire le mal, qu'en un mot la méchanceté n'existe pas ! Mais alors, quelle idée favorable La Rochefoucauld se fait de la nature humaine ! Comme il se trompe en sa faveur ! Quel optimiste que ce La Rochefoucauld ! Comme je me trompais sur ce La Rochefoucauld ! » — Il y a du vrai, beaucoup de vrai. La Rochefoucauld a été sévère pour nous, mais aussi il a été charitable. Notre plus grand défaut, il ne l'a pas vu ou il n'a point voulu le voir. De la part d'un homme si sagace, c'est une merveilleuse indulgence.

Soit ; mais qu'est-il donc arrivé ? Il est arrivé qu'à lire et à relire La Rochefoucauld, La Rochefoucauld s'est transformé sous nos yeux. Nous le voyons tout différent de ce qu'il était. Les sentences se transforment sous la lecture comme le rayon à travers le prisme. Est-ce un bien ? Est-ce un mal ? Et dès lors où est la vérité ? Dans la première impression, ou dans la seconde, ou dans la troisième ? Probablement cette vérité, elle aussi, nous fuit d'une fuite éternelle ; probablement les auteurs sont inépuisables en raison de ce qu'ils ont et en raison de ce qu'en les lisant, nous mettons en eux ; mais l'essentiel est de penser, le plaisir que l'on cherche en lisant un philosophe est le plaisir de penser, et ce plaisir nous l'aurons goûté en suivant toute la pensée de l'auteur et la nôtre mêlée à la sienne et la sienne excitant la nôtre et la nôtre interprétant la sienne et peut-être les trahissant ; mais il n'est question ici que de plaisir et il y a des plaisirs d'infidélité et l'infidélité à l'égard d'un auteur est un innocent libertinage.

Encore, en lisant un philosophe, il faut faire attention à ses contradictions. Les contradictions sont les accidents de paysage d'un grand penseur. On serait désolé qu'il n'en eût point et que son paysage fût trop bien composé. Il semblerait alors que son œuvre fût ce tableau dont parlait Musset, « où l'on voit qu'un monsieur bien sage s'est appliqué ». On n'est point fâché que la liberté d'esprit, que la spontanéité, que le jaillissement intellectuel se marque à ceci que le penseur n'a pas toujours pensé la même chose et n'a pas tiré toutes ses idées les unes des autres comme des formules algébriques. La contradiction appelle l'attention, l'excite, la ravive, la transforme en réflexion, la féconde infiniment. Je ne souhaite pas que les auteurs abondent en contradictions ; mais je souhaite que les lecteurs sachent en trouver.

Par exemple, Jean-Jacques Rousseau, dans tous ses ouvrages, maudit l'influence de la société sur l'individu et souhaite passionnément que l'individu sache s'y soustraire ; et dans un seul il sacrifie l'individu à la société et souhaite impérieusement qu'elle l'absorbe. C'est une contradiction, sans doute, et pour mon compte j'en suis persuadé : les grandes idées générales dérivant toujours des sentiments, il est probable que Rousseau, dans la plupart de ses écrits, a tiré ses idées de sa passion pour l'indépendance et pour la solitude, et dans un de ses livres de sa passion, très honorable, pour la République de Genève. Mais en sommes-nous sûrs et sommes-nous certains même qu'il y ait contradiction ? Je sais des hommes de la plus haute intelligence qui n'en voient point ici et qui rattachent très ingénieusement le *Contrat Social* à l'œuvre tout entière, pour eux très une et très cohérente, de Rousseau. Je ne dis point qu'ils aient tort. En fait de contradiction, le premier plaisir du lecteur est d'en trouver, et le second plaisir du lecteur est de les résoudre. Il aiguise son esprit à les trouver et il l'affine plus encore à les faire disparaître ; il s'exerce à les faire lever ; il s'exerce plus encore à se démontrer à lui-même qu'elles n'existent pas et n'ont jamais existé. Tout cela est bon et tout cela est très agréable.

La suite des états d'esprit à cet égard est celui-ci : on commence par ne pas saisir les contradictions en lisant les penseurs ; puis on en relève beaucoup ; puis on en aperçoit trop, et dès lors, selon la nature d'esprit que l'on a, on les multiplie avec malignité, et l'on en triomphe, ou l'on s'habitue à les résoudre toutes et l'on finit par les multiplier pour les résoudre. Il ne faut pencher vers aucun excès et il faut se tenir dans un certain milieu où le plaisir de comprendre ne soit pas gâté par le plaisir de discuter, ni même par celui de concilier trop ; mais se placer tour à tour aux différents points de vue et dans les différentes attitudes, et tantôt s'abandonner à la force de la pensée et à la rigueur de la logique, tantôt se défendre, ne vouloir pas être dupe, opposer l'auteur à l'auteur pour le battre à l'aide d'un auxiliaire qui est lui-même ; tantôt venir à son secours et démontrer qu'il ne s'est ni trompé ni contredit et que ce sont des apparences qui sont contre lui, si tant est même qu'il y ait des apparences : tout cela est comprendre encore ; tout cela n'est que différentes façons de comprendre et il suffit, pour que toutes soient utiles et fécondes, qu'à toutes ces opérations préside la loyauté et que jamais le sophisme ne s'y mêle.

Pour résumer, la lecture d'un auteur qui est philosophe est une discussion continuelle avec lui, une discussion où se retrouvent tous les charmes et tous les dangers aussi d'une discussion dans la vie privée. Les charmes, il faut savoir les goûter ; il faut savoir écouter longtemps ; il faut savoir suivre le penseur dans tous les détours et même dans toutes les hésitations de sa pensée ; il faut sentir l'objection se lever doucement dans notre esprit, mais la prier de ne pas éclater et d'attendre le moment où peut-être l'auteur se la sera faite lui-même, et le plaisir est très vif alors ; car d'abord nous sommes sûrs d'être bien en commerce intellectuel avec l'auteur, puisque nous l'avons prévenu, c'est-à-dire compris d'avance, et ensuite nous nous disons avec satisfaction que nous ne sommes pas indignement inférieurs à lui, puisque l'objection qu'il s'est faite, nous la lui faisions, c'est-à-dire puisque nous circulions dans sa pensée presque aussi largement, presque aussi aisément que lui-même.

Et les dangers de la discussion, il faut savoir les éviter comme dans une discussion privée. Il ne faut point nous obstiner dans notre sentiment, parce qu'il est notre sentiment ; et, parce que nous avons trouvé contre un raisonnement un peu faible de l'auteur un raisonnement assez fort, croire toujours avoir raison contre lui. Cela nous mènerait assez vite à une étroitesse d'esprit, à une sorte d'*irréceptivité*, si je puis dire ainsi, en vérité à une inintelligence acquise qui serait certainement la plus fâcheuse des acquisitions.

Certaines préférences à rebours sont à noter. Tel auteur est préféré par un lecteur, non pas parce que ce lecteur lui trouve l'esprit juste, mais parce qu'il lui trouve l'esprit faux, ce qui donne à ce lecteur le plaisir d'avoir toujours raison ou de croire toujours avoir raison contre lui, par suite de quoi c'est à cet auteur que ce lecteur revient constamment. En entrant dans sa bibliothèque, ce lecteur-là va tout droit à cet auteur-là et s'assied en se disant, de façon plus ou moins consciente : « Comme je vais avoir raison ! Comme je vais avoir l'esprit juste ! » Je conseillerais un peu à ce lecteur de changer d'auteur favori.

J'ai connu deux hommes qui ne conversaient jamais que de Proudhon. L'un ne jurait que par lui l'autre allait souvent jusqu'à jurer contre lui. Je n'ai jamais su lequel aimait le plus Proudhon, de celui qui y voyait une source inépuisable de vérités, ou de celui qui y voyait un océan de sophismes. L'un l'aimait comme un père spirituel à qui il devait reconnaissance du don de la vie ; l'autre l'aimait comme un homme à qui il devait de savourer continuellement sa supériorité intellectuelle ; l'un l'aimait avec dévotion, l'autre avec égoïsme ; l'un l'aimait de tout l'amour que l'on a pour l'être d'élection, l'autre de tout l'amour que l'on peut avoir pour soi-même ; et l'un était fier de se dire que, s'il rencontrait Proudhon, il le réfuterait et le confondrait assurément ; et l'autre de se dire que, s'il rencontrait Proudhon, il l'expliquerait à lui-même avec une clarté définitive.

Et ils s'aimaient réciproquement, du reste : l'un étant heureux des occasions que lui donnait l'autre d'exposer la doctrine de son maître et de s'en pénétrer à nouveau ; l'autre étant heureux des occasions que lui donnait le premier de discuter comme avec Proudhon lui-même et de le terrasser par procuration. *Fortunati ambo.*

Je crois pourtant que c'est à distance égale ou à peu près de ces deux heureux qu'il faut être et tâcher de se maintenir, pour garder cette liberté d'esprit qui est le bonheur intellectuel véritable. En choses intellectuelles, il ne faut ni abdication ni triomphe. L'abdication est toujours un peu déprimante et le triomphe est toujours vain. Se sentir en face d'un penseur, toujours en lutte courtoise et bienveillante, sentir qu'il a raison et n'en convenir qu'à la dernière extrémité, mais en convenir franchement, sentir qu'il a tort et se savoir gré de le sentir, mais à la dernière extrémité encore et en se disant toujours que, s'il était là, il ne nous laisserait pas peut-être en pleine sécurité de victoire et aurait sans doute quelque redoutable retour offensif ; lui prêter, même en les tirant de lui ou de vous, quelque argument de réserve à vous réduire ou à vous embarrasser : voilà l'exercice qui constituera pour vous une bonne hygiène intellectuelle. Avec les philosophes, la lecture est une escrime où, quelques précautions prises, que nous avons indiquées, l'esprit prend incessamment des forces nouvelles qui peuvent être utiles de toutes sortes de façons et qui, par elles-mêmes et pour le seul plaisir de les posséder, valent qu'on les possède.

CHAPITRE III

Les livres de sentiment

Il est permis de lire un peu moins lentement les auteurs qui ont pour matière les sentiments de l'âme humaine, guère moins du reste. Là aussi il faut, sous d'autres formes, de la réflexion et même de la discussion et par conséquent tout le contraire de la hâte. Cependant ici, je suis tout à fait d'avis qu'il faut commencer par *s'abandonner*. L'auteur sentimental peint les sentiments du cœur moins pour les peindre que pour nous les inspirer. Il est un semeur de sentiments comme le philosophe est un semeur d'idées. Avant tout, il veut toucher. Toucher, c'est faire partager au lecteur les sentiments qu'on a prêtés à ses personnages ; c'est nous mettre, par une sorte de contagion, dans l'état d'âme et dans les divers états d'âmes des personnages qu'on a créés. Si l'auteur ne réussit point à cela, s'il ne touche pas du tout, laissons-le ; mais s'il nous touche un peu, ne résistons-pas, laissons-nous conduire à cet aimable guide, laissons-nous aller à l'impression, laissons-nous toucher, laissons-nous attendrir. Nous ne nous appartenons plus, il est vrai ; mais c'est peut-être pour cela que nous avons pris en main un romancier ou un poète. Cette possession de nous-mêmes par une fiction est une chose assez curieuse. C'est une sorte d'enivrement, et c'est-à-dire c'est à la fois une perte et une augmentation de notre personnalité. C'est un état suggestif.

En lisant un roman qui nous passionne, nous ne sommes plus nous-mêmes et nous vivons dans les personnages qui nous sont présentés et dans les lieux qui nous sont peints par le *magus*, comme dit très bien Horace, c'est-à-dire par l'hypnotiseur. Il y a perte de notre personnalité.

Mais aussi il y a augmentation de notre personnalité en ce sens que, dans cette vie d'emprunt, nous nous sentons vivre plus puissamment, plus amplement, plus magnifiquement qu'à l'ordinaire. Et ce moi d'emprunt, vivant d'une vie plus riche que le moi proprement dit, c'est encore nous-mêmes. Le moi proprement dit en est comme le support et est heureux de le supporter et de s'en sentir agrandi. Ou il est comme le vase qui le reçoit et qui est heureux de le recevoir, et comme un vase qui, en recevant, s'agrandirait, s'élargirait, se dépasserait. Nous recevons en nous l'âme de la princesse de Clèves et, tout en sentant fort bien que c'est d'une autre âme que nous vivons pour une heure, nous sentons aussi que notre âme à nous enveloppe l'âme étrangère qu'elle reçoit, et s'en pénètre et s'en enrichit merveilleusement, ou du moins d'une façon qui nous parait merveilleuse.

Pour vous rendre compte de cette hypnose, portez votre attention sur le moment du réveil. En posant le beau roman, nous nous réveillons au sens propre du mot, nous nous frottons les yeux, nous nous étirons, nous nous ébrouons ; nous sentons très nettement que nous passons d'une vie dans une autre et que nous nous diminuons, ou que nous tombons de haut. C'est une âme qui s'était unie à la nôtre, à laquelle nous nous étions unis et qui nous quitte.

Voilà ce que j'appelle *s'abandonner*, ce qui est nécessaire absolument quand c'est à un écrivain de sentiment que l'on a

31

affaire. Mais, il est bien entendu qu'il n'est pas défendu de se reprendre et ressaisir, et il y a même à se reprendre et à réfléchir des plaisirs nouveaux. Réfléchir sur une œuvre d'imagination consiste surtout en ceci : se demander si les personnages sont vraisemblables et naturels et goûter leur vérité, comme en lisant l'on a goûté la beauté, l'intensité de leur vie morale. On me dira : selon quel critérium pourrons-nous juger de la vérité d'un personnage ? Je répondrai : par ce que vous avez vu et observé autour de vous. Sans doute, c'est là un très petit champ d'observation, et ce qu'on en a tiré est par conséquent un critérium, pour ainsi parler, très pauvre. Je ne connais pourtant pas d'autre moyen de juger de la vérité.

Il est probable que, par manque de termes de comparaison, nous nous trompons très fréquemment et que l'auteur qui nous dit : « Ces personnages que vous trouvez invraisemblables, je les ai connus » a raison. Cependant les hommes ne sont pas si différents les uns des autres qu'on ne puisse, avec un certain nombre d'observations personnelles, juger par comparaison des personnages que les auteurs nous présentent. Ce qui, dans la réalité, est à portée de nos regards est une moyenne de l'humanité. Ce que les auteurs mettent sous nos yeux, ce sont êtres qui, ou sont dans la moyenne de l'humanité, ou s'en écartent en étant supérieurs ou inférieurs à elle, mais doivent lui ressembler et sont de purs monstres d'imagination s'ils ne lui ressemblent pas. Vous avez donc les éléments nécessaires et suffisants pour juger de la vérité des peintures. Vous n'avez jamais vu *le père Grandet* ; mais vous avez connu tel avare, M. X…, et, en réfléchissant sur le *père Grandet*, vous vous dites : « …et il est très vrai ; *Le père Grandet* c'est M. X…, tel que serait celui-ci s'il était plus poussé, plus entraîné par la fougue de la passion, placé du reste, dans des conditions un peu différentes, dans une petite ville ou dans un village, etc. »

La lecture des romans suppose ainsi comme condition nécessaire du second moment, je veux dire de la réflexion qui juge, une assez grande connaissance des hommes, et je n'entends par là qu'une assez grande habitude d'observer les hommes autour de soi. Les jeunes ouvrières qui lisent les romans à très bon marché ne sont capables que de l'enthousiasme du premier moment, que de ce que j'ai appelé l'abandonnement ; le second moment n'existe que pour ceux qui sont plus âgés et qui sont doués d'une certaine faculté d'observation et de mémoire ; mais ceux-ci goûtent des plaisirs beaucoup plus vifs, étant encore capables de s'abandonner, l'étant surtout de comparer le roman à la vie et d'éprouver des sensations d'admiration très vive quand ils estiment que le roman a copié la vie avec sûreté ou plutôt l'a déformée de manière à accuser plus vigoureusement ses traits caractéristiques.

Une des plus fortes parmi ces sensations est celle-ci : voir dans le roman ce qu'on avait vu dans la vie, mais le voir d'une façon plus nette et plus accusée. La connaissance que nous avions d'un caractère est juste sans doute, mais elle est générale ; elle est d'ensemble et par conséquent elle est flottante encore ; ce qui nous ravit, c'est d'avoir retrouvé dans le roman cette même connaissance sous un rayon plus vif qui fait sortir les traits de détail, qui met en relief les particularités significatives et qui nous fait dire : « Comme c'est vrai ! J'avais entrevu cela, je ne l'avais pas vu ; j'en avais l'intuition, je n'en avais pas pris possession. » Le roman, s'il est bon, nous aide à capter la vie elle-même qui nous fuyait, qui échappait à demi à nos prises nonchalantes.

La lecture est ainsi faite de ce que nous savons, de ce que nous apprenons et de ce que nous n'apprenons que parce que nous le savions déjà et de ce que nous savons mieux maintenant parce que nous venons de le rapprendre. Nous allons ainsi de la réalité à la fiction, et la fiction n'a de prix pour nous que si à nos yeux mêmes elle est pénétrée de réalité, et la réalité nous est plus intéressante quand nous y revenons après avoir traversé la fiction pénétrée d'elle.

Un autre critérium à juger la fiction et par conséquent à en jouir davantage si elle est bonne, c'est de regarder en nous-mêmes. On demandait à Massillon, très honnête homme : « Où prenez-vous donc la matière de toutes les peintures de vice que vous faites ? » Il répondit : « en moi-même ». Il est ainsi. Chacun de nous se suffirait presque pour peindre tous les vices et aussi toutes les vertus, s'il savait peindre ; pour reconnaître, du moins, la vérité de toutes les peintures de toutes les vertus et de tous les vices. Chacun de nous est un petit monde où le monde entier se voit en raccourci et est véritablement comme en germe, et le proverbe italien cité par Pascal est très exact : « Le monde entier est fait comme notre famille » et même comme nous. Or, ces semences de toutes les vertus et de tous les vices qui sont en nous, nous permettent très bien de juger ce qu'il y a de réalité dans les fictions. Une fiction, c'est toujours une partie de nous qui, aux mains de l'auteur, est devenue un personnage, une autre partie de nous qui est devenue un autre personnage, et ainsi de suite, et c'est encore le plus souvent par retour sur nous-mêmes que nous jugeons.

La lecture exige donc de nous que nous soyons capables d'analyse auto-psychologique, et il n'y a très bons lecteurs que ceux qui en sont capables. J'ai entendu une femme de trente ans dire : « Je n'ai jamais pu comprendre ce qu'on trouve d'intéressant dans *Madame Bovary*. » J'ai pensé à lui répondre : « Ce qu'on trouve d'intéressant dans *Madame Bovary*, c'est vous », car il n'y a pas de femme de trente ans, je ne dis point qui ne soit Madame Bovary, mais qui ne contienne en elle une Madame Bovary avec toutes ses aspirations et tous ses rêves et toute sa conception de la vie ; une Madame Bovary latente, qui n'éclora point, comprimée et déroutée par toutes sortes d'autres éléments psychiques, mais qui existe. Seulement la dame dont je parle, très en dehors, très étourdie, n'était pas capable de se discerner elle-même et ne pouvait démêler la Madame Bovary qui était en elle, comme, du reste, dans toutes les autres femmes.

Les étonnements mêmes que nous causent quelquefois les fictions, et je parle encore une fois de celles qui sont bonnes, nous amènent à des découvertes. Nous sommes étonnés, choqués, nous nous disons : « mais ce n'est pas vrai ! » Un je ne sais quoi nous avertit que peut-être ce n'est pas si faux que nous croyons ; nous nous interrogeons et il arrive souvent que nous nous disions : « du moins, ce n'est pas impossible ». C'est qu'un retrait inexploré de notre âme s'est à demi révélé à nous, c'est qu'une partie du subconscient, par l'effet de cette aide étrangère, est entrée dans notre conscient, c'est que nous nous voyons plus profondément qu'auparavant.

C'est ainsi que la lecture, si elle exige l'habitude de l'examen de conscience, par contre-coup aussi nous la donne. Du jour, où déjà, bon lecteur, nous nous avisons de comparer les personnages d'une fiction, non aux gens connus de nous, mais à nous-mêmes, nous prenons cette habitude, et nous nous lisons comme un livre, du moins comme un manuscrit difficile, avec attention et application, et quand nous revenons aux livres, nous avons acquis une aptitude plus grande à les comprendre et à les juger, ce qui, du reste, est la même chose. Il est certains livres qu'on ne sait guère comment lire et pour lesquels on sent que l'on n'a point de critérium. Ce sont les livres où sont rapportés, décrits et dépeints, des caractères d'exception. Ce ne sont point des livres faits pour le plaisir, chez l'auteur, de conter, chez le lecteur, d'entendre bien conter ; ce ne sont pas des livres d'observation générale et par conséquent que nous puissions contrôler ; ce ne sont point des livres d'idéalisation et que par conséquent nous puissions contrôler encore en ce sens qu'ils présentent comme réalisé ce qui est en nous belle inspiration, beaux rêves et belles ambitions morales. Ce sont des livres où nous sont présentés des êtres *dont l'intérêt même* est d'être en dehors de la moyenne, en dehors de la vie connue et en dehors de la vie telle que, à l'ordinaire, nous voudrions qu'elle fût. Telles sont, par exemple, souvent, les créations ou les créatures des frères Goncourt, tel est le principal personnage du *Horla* de Maupassant, etc. Les auteurs qui ont ce goût nous diront volontiers que ce sont les plus intéressants des livres, puisqu'ils apprennent quelque chose ; ceux que vous pouvez contrôler par vos observations propres ne valent pas la peine d'être écrits, puisque vous pourriez presque les faire et que par conséquent il vous est peu utile de les lire ; les nôtres sont des livres d'observation et les livres d'observation par excellence, puisqu'ils sont d'observation inédite et qu'ils étendent le domaine de l'observation.

Ils nous étonnent pourtant et nous désorientent, parce que nous ne nous y sentons pas sur un terrain sûr et que nous ne pouvons plus les contrôler même partiellement et que, pour ainsi dire, ils nous demandent trop de confiance.

On voudrait le plus souvent que ces livres-ci fussent placés par les auteurs en terre étrangère et donnés comme des relations de voyage. D'un Japonais, rien n'étonne beaucoup, et l'on n'est point surpris que, par rapport à nous, un Japonais soit très exceptionnel et que nous manquions de critérium pour juger s'il est vrai ou faux.

On voudrait encore que l'auteur nous donnât sa parole d'honneur que le fait est vrai et que les caractères sont vrais, auquel cas on lirait ces livres comme des livres scientifiques rapportant des observations toutes nouvelles et tout étranges et plus intéressants que tous les autres en effet, car ce n'est point un cas classique de fièvre muqueuse qui intéressera un médecin ; mais la parole d'honneur du romancier n'est point de ces choses qui nous puissent mettre en pleine assurance.

Le moyen le plus usité et le meilleur assurément qu'emploient les romanciers qui savent leur métier est d'entourer le cas exceptionnel d'un bon nombre de faits d'observation très courante au contraire et bien connus. À ce compte nous leur faisons confiance, parce que nous voyons qu'ils savent bien observer ce que nous observons nous-mêmes et nous les respectons comme bons observateurs et nous supposons qu'ils l'ont été aussi des cas exceptionnels qu'ils nous rapportent ; et ce cas exceptionnel bénéficie, en quelque sorte, de l'exactitude de tout ce qui l'entoure.

Moi, tout compte fait, je ne saurais trop dire comment il faut lire ces livres-ci. Ils échappent un peu aux moyens ordinaires de lecture. Le plus souvent on les lit comme purs et simples ouvrages d'imagination, et l'on ne sait gré à l'auteur que de sa faculté d'imaginer, contre quoi précisément il proteste, disant : « Si c'était imaginé, ce ne serait pas intéressant » et se fâchant comme un historien dont on dirait qu'il est un romancier très curieux.

L'exceptionnel en littérature est plein de danger. La littérature proprement dite est la peinture de notre âme à tous et de nos mœurs à nous tous, avec une certaine exagération savante destinée à mettre en relief les parties les plus importantes et les plus intéressantes de la vérité elle-même. Et c'est cette exagération qui fait les caractères d'exception, comme les Harpagon, les Tartuffe, les Chimène, les Pauline, les Monime et les Mithridate ; mais ces exceptions, n'étant qu'une exagération habile et un agrandissement de la vérité elle-même, sont reconnaissables et contrôlables encore. Un vers du bon Sanson, l'acteur, est très amusant.

C'est surtout dans l'excès qu'il faut de la mesure.

Il y a sans doute une certaine naïveté dans la forme ; mais il a parfaitement raison ; je dirai de même, et avec autant d'ingénuité, que c'est surtout dans l'exceptionnel qu'il faut un fond de vérité générale qui nous persuade que, si anormal qu'il soit, il est vrai encore, et qui, par là, lui rende en quelque sorte son autorité sur nous et par suite son intérêt. Quant à l'exceptionnel tout pur, le plus souvent il rebute par son caractère, apparemment hybride, par l'incertitude où l'on est s'il est une vérité, auquel cas il n'y aurait rien de plus intéressant, ou s'il est une fantaisie, auquel cas il n'intéresse que sur l'auteur, doué d'un tour d'imagination si particulier.

Je dis souvent : « l'exceptionnel du roman ne me renseigne que sur l'exceptionnel de l'auteur, ce qui du reste est déjà de quelque valeur ».

Beaucoup de lecteurs pourtant s'intéressent à l'exceptionnel proprement dit, lisant, disent-ils, pour se secouer, pour se dépayser, pour voir du nouveau et du tout nouveau, et précisément ne tenant point à contrôler, ce qui n'est que se ramener au déjà vu et au train, peu aimé, de tous les jours. Je ne songe pas à leur en vouloir ; mais il me semble que peut-être il vaudrait mieux qu'ils s'adressassent à un autre art qu'à la littérature. Ce qui nous fait sortir de la vie où nous sommes, ce n'est ni la littérature, si romanesque ou si poétique qu'elle puisse être, ni la peinture, ni la sculpture, c'est l'architecture et la musique, aux deux pôles, pour ainsi dire, de l'art : l'architecture qui, tout compte fait et quoi qu'on ait pu dire, ne copie rien et n'est que combinaison de belles lignes tout abstraites et tirées de notre conception intime et pure des belles lignes ; la musique qui ne copie rien et qui ne peint que des états d'âme et qui ne suggère que des états d'âme.

Encore l'architecture ramène la pensée à la vie civile, en ce sens qu'un monument est fait pour recevoir une foule en vue de tel ou tel acte et doit jusqu'à un certain point avoir le caractère qui convient à cet acte, comme il a la forme qui s'y prête, et une école ne doit pas présenter les mêmes combinaisons de lignes qu'une église ; — et la musique seule est tout à fait l'art qui permet qu'on échappe à la vie et qui aide à en sortir ; et c'est l'expression même de la rêverie.

Les amateurs d'exceptionnel en littérature et qui l'aiment, non point parce qu'ils sont blasés sur le normal, mais par goût de s'évader de la vie réelle, se trompent donc, je crois, en s'adressant à la littérature, y entretiennent en se plaisant à lui un genre qui, en littérature, est un genre faux, et feraient mieux, je crois, de s'adresser, selon leurs tempéraments particuliers, à l'un ou à l'autre des deux autres arts que j'ai dits.

Quoi qu'il en soit, il y a lectures très différentes selon les différentes natures d'esprit, et par suite il y a, et elle est amusante, décevante aussi ou peu sûre, et telle qu'il ne faut pas s'y fier légèrement, mais assez instructive en somme, une étude des esprits et même des âmes, une étude des hommes *par ce qu'ils se montrent comme lecteurs.*

Celui, par exemple, qui ne peut lire que des narrations, le lecteur d'Alexandre Dumas, n'est pas pour autant un homme d'action et quelquefois même il est très paresseux, mais le plus souvent il n'est ni un observateur des autres ni un observateur de soi-même et il n'a ni vie intérieure ni vie extérieure intellectuelle.

Il est amateur de courses et volontiers spectateur de départs d'aviation ; il est, sauf quand il est atteint de paresse physique, très grand voyageur, les voyages étant, sinon tout à fait, comme a dit Emerson, « le paradis des sots », du moins le paradis de tous ceux à qui le don d'observer ou de méditer est refusé, ni la méditation ni même l'observation ne demandant plus de six kilomètres carrés pour se satisfaire.

Il est très volontiers conteur et conteur de soi-même. Il est celui qui dit le plus : « j'étais là, telle chose m'advint ». Il conte beaucoup, raisonne peu, ne réfléchit jamais et ignore le repentir. C'est un homme aimable dont la société est aussi agréable qu'elle est inutile, s'il est vrai, ce que l'on pourra contester, que ce qui est agréable puisse être inutile.

Le lecteur qui n'aime que le roman réaliste est généralement un esprit juste, droit, pondéré, qui a de bons yeux, un bon raisonnement, qui ne se trompera guère, que l'on ne trompera pas souvent et qui se tirera bien de l'affaire de la vie. Il a une tendance au pessimisme, ou plutôt, car le grand pessimiste est toujours un idéaliste froissé, il a une tendance à trouver tout médiocre, à bien compter là-dessus et à s'en accommoder sans trop de peine. Des hommes il se console par en médire et il est de ceux, signe d'âme triste et un peu mauvaise, pour qui la médisance est une consolation.

L'amateur de livres réalistes n'est pas très bon. Il trouve souvent que son auteur n'est pas assez noir, et il lui donnerait des conseils dans le sens d'une plus grande sévérité et des avis très vigoureux sur la bassesse humaine.

L'amateur de livres réalistes est d'une société un peu attristante. On l'estime dans les salons personnage indésirable à moins qu'il n'ait de l'esprit et de l'humour, en considération de quoi l'on pardonne en ces lieux-là absolument tout.

Le lecteur de livres idéalistes où les personnages ont des vertus extraordinaires et des délicatesses de sentiments inattendues est généralement une lectrice : « J'ai pour moi les jeunes gens et les femmes », disait Lamartine, et George Sand aurait pu le dire aussi sans se tromper aucunement. Le lecteur de livres idéalistes n'est pas nécessairement optimiste ; mais il aime à croire à la noblesse de la nature humaine au moins chez un certain nombre d'individus privilégiés parmi lesquels il se place et non pas toujours à tort. Il a des mouvements généreux : il a au moins des mouvements généreux qui, pour n'être pas toujours suivis d'un plein effet, doivent pourtant lui être comptés. Il se fait une âme très spéciale qui est composée de celle d'abord qu'il a apportée avec lui et qui tendait naturellement à l'idéal, de celle ensuite qu'il a tirée de ses livres favoris et qui raffine encore et renchérit sur les instincts primitifs ; il se fait ce qu'on appelle une âme romanesque.

Le romanesque est un être très aimable qui nous donne bien des satisfactions : celle d'abord de l'aimer ; celle ensuite de l'admirer un peu comme un noble exemplaire en somme de l'humanité ; celle ensuite de ne pas le craindre, encore qu'il ne fallût pas, à cet égard, avoir une pleine confiance ; celle enfin de lui donner ces fameux conseils de bon sens, de prudence, de sagesse pratique, qu'à donner nous nous épanouissons, nous nous élargissons, nous nous enorgueillissons et qui comblent de plaisir, de pleine satisfaction, de joie intime et profonde, du sentiment de la supériorité indulgente et bienfaisante, ceux de qui ils partent.

Les lecteurs de poètes ne sont pas très différents des lecteurs de romans idéalistes ; il y a pourtant quelque distinction à faire. Le lecteur des poètes n'est pas seulement un romanesque ; c'est un artiste ou un homme qui a des prétentions à être artiste. Il veut lire dans une « langue artiste », dans cette langue, comme a dit Musset, que le monde entend et ne parle pas et j'ajouterai que le monde n'entend même pas beaucoup. Le lecteur de poètes est un initié ou croit l'être et se flatte de l'être. Il y a entre les poètes et les lecteurs de poètes une franc-maçonnerie qui n'existe pas entre les romanciers et les lecteurs de romans.

Pour le poète, le lecteur des poètes est un homme qui a le chiffre. Et le lecteur des poètes sait qu'il a le chiffre ou il croit l'avoir. Aussi le lecteur de romans idéalistes n'est pas dédaigneux à l'ordinaire, mais le lecteur des poètes l'est presque toujours. Il méprise ceux qui lisent les journaux ; il méprise un peu ceux qui lisent les livres pratiques et les livres d'histoire. Il ne doute point qu'il n'ait une âme de qualité supérieure, une âme nourrie du miel d'Hymette.

Il est rare qu'un lecteur de romans idéalistes écrive lui-même des romans ; il est rare, au contraire, que le lecteur de poètes ne fasse pas des vers lui-même. Il est du Parnasse. Je ne l'en dissuaderai pas, du reste. Dans les livres de philosophie, on va chercher des idées générales, dans les romans réalistes des observations, dans les romans idéalistes de beaux sentiments, dans les poètes *tout cela* et de plus des inventions de rythme, des trouvailles de mélodie, d'harmonie, toute une technique, qui ici, a autant d'importance que le fond ; et de cette technique on ne jouit, à cette technique on ne se plaît, à cette technique on ne se joue amoureusement, que si soi-même on s'en est mêlé, que si on s'y est essayé, que si l'on en a mesuré les difficultés, que si l'on y a atteint soi-même à quelques petits succès relatifs ; comme il n'y a que les musiciens qui comprennent la musique, et les autres, quand ils croient y entendre quelque chose, sont des snobs, il n'y a que les hommes qui ont été un peu versificateurs qui comprennent les poètes.

S'est-on assez moqué des vers latins qu'on nous faisait faire encore dans notre enfance ! Ils avaient été inventés pour qu'on eût du plaisir à lire Virgile, pour qu'on ne le lût pas comme de l'Aulu-Gelle et par des gens qui savaient qu'ils goûtaient Mozart parce qu'ils avaient joué du violon, et Virgile parce qu'ils avaient fait des vers latins.

Le lecteur de poètes est donc presque toujours un versificateur, ou il l'a été. Il se sent par là d'une classe un peu supérieure au reste de l'humanité. C'est un raffiné, c'est un *select*, c'est un noble. Cette vieille fille, noble, dans une nouvelle d'Edmond About, disait : « Ce qui me plaît dans les artistes, c'est qu'ils ne sont pas des bourgeois ». Le lecteur des poètes sent qu'il n'est pas un bourgeois.

Il est du reste, souvent, très aimable à travers cette légère affectation et, sauf une certaine irritabilité qui lui est venue, comme par contagion, des poètes eux-mêmes, il est sociable, bon causeur avec un langage choisi, et épouse généralement les causes nobles. « Ô poète ! » dit-on ordinairement aux idéalistes, ce qui fait très grand honneur aux poètes ; on peut dire aussi : « Il est distingué, surtout il veut l'être ; volontiers original, un peu dédaigneux ; il a le goût des sentiments nobles ; c'est un lecteur de poètes ».

Enfin le lecteur de livres où sont peints des êtres tout à fait exceptionnels est en général un homme que la vie ne satisfait pas et qui ne la trouve pas intéressante et qui veut s'en tenir le plus loin possible. Il est un peu comme le *Fantasio* de Musset disant : « Je voudrais être ce monsieur qui passe ; il doit avoir une foule d'idées qui me sont complètement étrangères ; son essence lui est particulière ». Et encore non, point tout à fait ; le chercheur d'exceptions voudrait être le monsieur qui ne passe pas, le monsieur qui n'est jamais passé devant lui et qui n'y passera jamais.

Il ne peut pas être très sociable ; ne lui parlez pas ; vous êtes au nombre des choses connues. Vous avez la vulgarité du réel. Il est incontestable que c'en est une. Il n'y a de distingué, comme se distinguant nécessairement de tout, que ce qui n'existe pas, et même que ce qui ne peut pas exister ; car pour être conçu comme pouvant exister, il faut déjà ressembler à quelque chose.

Tout ce que je viens de dire est généralement vrai ; mais, comme il arrive, les choses sont quelquefois tout à l'inverse.

Par un certain besoin de réaction contre soi-même et pour ne pas tomber du côté où l'on sent qu'on penche, c'est quelquefois le penseur très abstrait et l'homme d'examen intérieur qui aime, souvent du moins, lire des ouvrages de pure narration, et l'on a cité tel très digne héritier de Montesquieu qui faisait ses délices de Ponson du Terrail.

C'est quelquefois et même assez souvent un homme à penchants romanesques qui fait sa lecture ordinaire des romans réalistes, et ici l'on pourrait citer Flaubert lui-même, qui, romanesque et romantique éperdument, se corrigeait et rectifiait lui-même non seulement en lisant des romans réalistes, mais en en faisant. Et enfin on s'aperçoit assez souvent, surtout chez les femmes, qu'un très grand goût de lectures romanesques n'est qu'une surface et qu'en leur fond on les trouvera très réalistes et très pratiques ; je dis *assez* souvent.

Le caractère d'après les lectures, cela est donc vrai, mais, comme beaucoup de vérités, d'une vérité relative ; et c'est une observation intéressante, mais qui, comme toutes les observations, demande contrôle.

Je mets à part un « type disparu », ou à peu près, mais qu'il faut mentionner pourtant, puisqu'il n'a pas complètement cessé d'exister, je veux parler du lecteur des livres anciens, du lecteur d'Homère, de Virgile, d'Horace et de quelques autres. Ce lecteur est généralement un professeur de littérature latine dans une faculté, mais ce n'est pas de lui que je veux parler ; je ne parle pas ici des lecteurs professionnels. Je songe au lecteur d'Homère ou d'Horace qui les lit par goût, par élection, par vocation, et qui se plaît à eux, seulement parce que ce sont eux et que c'est lui.

C'est un homme assez singulier, tout à fait charmant du reste, presque toujours, mais assez singulier en vérité. D'abord, c'est un homme sur qui ses premières études ont eu une très grande influence, *qui ne s'est pas ennuyé au collège*, que ses professeurs n'ont pas dégoûté des auteurs classiques par la manière dont ils les enseignaient ; et voilà déjà un homme un peu exceptionnel.

Il y a des chances, je crois, pour qu'on en trouve, non pas beaucoup plus, mais un peu plus, dans les générations de demain et d'après-demain, parce que les professeurs actuels de l'enseignement secondaire n'enseignent plus du tout les auteurs classiques ; ils ne s'occupent que de sociologie et de littérature contemporaine — C'en est donc fait de l'humanisme ! — En une certaine mesure au contraire, parce que c'était la façon dont, généralement, les auteurs classiques nous étaient montrés, qui nous les faisait prendre en horreur ; parce que Virgile et Horace ne pouvaient rester dans nos souvenirs qu'accompagnés de l'idée d'ennui ; et parce que, laissés de côté par les professeurs d'à présent, ils se présenteront aux écoliers dans toute leur beauté propre, avec leur charme inaltéré et, si j'ose ainsi parler, sans encrassement. Savoir lire en latin et lire Virgile sans intervention de professeur, c'est la condition la meilleure pour se plaire à Virgile, et c'est la condition où se trouvent généralement nos écoliers d'aujourd'hui. Une renaissance de l'humanisme est peut-être là.

Quoi qu'il en soit, le lecteur d'Horace est un homme sur qui ses premières études, grâce à telle circonstance ou à telle autre, grâce à l'abstention de ses professeurs à l'égard de la littérature antique, ou grâce, au contraire, à un professeur exceptionnel qui savait faire goûter les auteurs anciens, ont eu une influence très forte et très prolongée.

Secondement, un peu à cause de ce qui précède, mais pour d'autres raisons qu'il faudrait chercher dans sa psychologie individuelle, c'est un homme que la littérature de son temps, quand il est sorti du collège, a peu intéressé. Il était homme, par conséquent, à se tourner du côté des arts, peinture, musique, mais sans doute il n'avait point ces goûts ou ces aptitudes, et il est peu à peu revenu à ce qui l'avait, sinon charmé, du moins intéressé vers la quinzième année, et il s'est aperçu, son intelligence et sa sensibilité s'étant accrues, que ces auteurs sont d'excellents et d'exquis aliments de l'âme et de l'esprit.

Cet homme — il a maintenant entre quarante ou cinquante ans — est presque absolument étranger et indifférent aux temps où il vit. Il ressemble à Montaigne et, tout compte fait, c'est précisément un Montaigne à deux ou trois ou à dix degrés au-dessous du prototype.

Je dis indifférent au temps où il vit et non pas hostile ; car, s'il y était hostile, il s'en occuperait continuellement pour s'indigner contre lui et pour le maudire ; je dis indifférent, étranger et qui ne le connaît pas et ne se soucie aucunement de le connaître.

Ce n'est pas que le lecteur des anciens se soit fait, précisément, une âme grecque ou une âme romaine ; il s'est fait une âme de tous les temps, excepté du temps où il est. En effet, ce par quoi les anciens ont survécu, c'est ce qu'ils avaient d'éternel, de très général exprimé dans une forme définitive. Or, cela est de tous les temps, excepté de chacun. Je veux dire qu'à chaque époque l'homme de raison, d'imagination, de sensibilité et dégoût y trouve son plaisir, à la condition qu'il ne soit pas dominé par le tour d'imagination, de sensibilité, de goût et de raisonnement qui est particulier à son temps même.

Au XVIe siècle, un humaniste est un homme que le problème religieux, ou plus exactement ce qu'il y a de problèmes dans le sentiment religieux et dans la croyance, ne torture pas ; au XVIIe siècle, « le partisan des anciens » est un homme que la gloire de Louis le Grand, encore qu'elle le touche, n'éblouit point et n'hypnotise pas ; au XVIIIe siècle, l'homme de goût (très rare) est celui qui n'est pas très persuadé que l'univers vient pour la première fois d'ouvrir les yeux à la raison éternelle et que le monde date d'hier, d'aujourd'hui ou plutôt de demain ; au XIXe siècle, le classique, vraiment digne de ce nom, est celui qui n'est pas comme subjugué par les Hugo et les Lamartine et qui s'aperçoit, de tout ce qu'il y a, Dieu merci, de classique dans Hugo, Lamartine et Musset, et qui garde assez de liberté d'esprit pour lire Homère pour Homère lui-même et non pas en tant qu'homme qui annonce Hugo et qui semble quelquefois être son disciple.

Le lecteur des anciens est donc étranger à son temps sans y être hostile, si étranger à son temps qu'il ne lui est pas même hostile et est en quelque façon de tous les âges. Il est l'homme sur qui aucune mode n'a d'influence et qui ne s'aperçoit pas qu'il y a des modes.

C'est un homme très heureux si c'est un bonheur, comme je le crois, de ne pas vieillir. Il ne s'aperçoit pas des changements qui se sont produits depuis sa jeunesse dans le goût public. Il goûte ce que quelques-uns parmi les jeunes et parmi les vieux goûtaient déjà dans sa jeunesse et ce que quelques-uns parmi ses contemporains et aussi parmi les jeunes goûtent encore. Il a toujours été avec quelques-uns, il n'a jamais été seul et n'est pas plus seul à soixante ans qu'il n'était à vingt. Il ne se doute pas que la littérature est la chose la plus instable du monde. Il n'est pas très vivant, comme on dit, mais il est comme s'il avait choisi une fois pour toutes entre le vivant et l'éternel, et c'est l'éternel qu'il a choisi. Il est assez probable qu'il a la meilleure part et il est certain qu'elle ne lui sera point ôtée.

CHAPITRE IV

Les pièces de théâtre

Les poètes dramatiques sont-ils faits pour être lus ? Autant que pour être entendus, je le crois. S'il est très vrai, comme on disait autrefois, qu'une bonne comédie ne se peut juger qu'aux chandelles, il n'est pas moins véritable qu'il y a comme un jugement d'appel à porter sur elle et qui ne se peut porter qu'à la lecture. C'est de l'éclat, c'est du mouvement aussi, de la pièce de théâtre qu'on juge à la représentation ; mais à la lecture, c'est de sa solidité. C'est par la lecture d'une pièce qu'on échappe aux prestiges de la représentation ; c'est en lisant que l'on n'est plus dupe du jeu des acteurs, de l'énergie de leur déclamation et de la sorte d'empire et de possession qu'ils exercent sur nous. Surtout, c'est en lisant qu'on peut relire, et ce n'est qu'en relisant qu'on peut bien juger, non seulement du style, mais de la composition, de la disposition des parties et du fond même, j'entends de l'impression totale que l'auteur a voulu produire sur nous et de la question s'il l'a produite en effet ou non, ou seulement à demi.

C'est à la lecture que l'on ne peut plus prendre la fausse monnaie pour la bonne, et des sonorités plus ou moins savantes pour une idée ou un sentiment. « Certains poètes sont sujets, dans le dramatique, à de longues suites de vers pompeux qui semblent fort élevés et remplis de grands sentiments. Le peuple écoute avidement, les yeux élevés et la bouche ouverte, croit que cela lui plaît et, à mesure qu'il y comprend moins, l'admire davantage ; il n'a pas le temps de respirer ; il a à peine celui de se récrier et d'applaudir. J'ai cru autrefois, et dans ma première jeunesse, que ces endroits étaient clairs et intelligibles pour les acteurs, pour le parterre et l'amphithéâtre ; que leurs auteurs s'entendaient eux-mêmes et qu'avec toute l'attention que je donnais à leur récit, j'avais tort de n'y rien entendre ; je me suis détrompé. » Soyez sûr que La Bruyère s'est détrompé surtout en lisant.

Beaucoup de pièces réussissent pleinement au théâtre ; l'impression est l'écueil. Volontiers je distribuerais les pièces de théâtre en quatre classes : celles qui sont meilleures à la lecture qu'à la représentation, celles qui sont aussi bonnes au cabinet qu'au théâtre, celles qui sont moins bonnes imprimées qu'entendues, et celles qui ne valent pas même la peine qu'on les imprime.

Et les premières sont celles qui sont supérieures au talent des acteurs et que, par conséquent, les acteurs déparent et dégradent : tous les grands chefs-d'œuvre classiques sont dans cette classe.

Et les secondes sont d'une bonne moyenne ou un peu au-dessus de la moyenne, et c'est un éloge à faire d'une pièce que de dire qu'elle peut être lue.

Et les troisièmes sont celles, si nombreuses, qui sont au-dessous du talent des acteurs et que les acteurs relèvent.

Et les quatrièmes sont celles que les acteurs font, dont les véritables auteurs sont les comédiens ; et elles sont les plus nombreuses de toutes.

Tout auteur qui écrit une pièce en vue d'une étoile, en vue de tel ou tel acteur ou de telle ou telle actrice, n'écrit point pour le lecteur, se résigne à n'être pas lu et condamne en vérité sa pièce comme œuvre d'art.

Tant y a qu'il existe des pièces qui sont très bien faites pour être lues et même relues ; ce sont les plus profondes et les plus subtiles, et les noms de Racine et de Marivaux, plus encore que ceux de Corneille et de Molière, viennent à l'esprit, comme aussi ceux de Sophocle et de Térence.

Il faut donc lire les bons ouvrages dramatiques ; mais ici encore il y a une manière particulière de lire et tout à fait particulière. Pour pouvoir lire une pièce, il faut avoir été assez souvent au théâtre ; car il faut, en lisant une pièce, *la voir*, la voir des yeux de l'imagination telle qu'on la verrait sur un théâtre. Cela est indispensable. Comme le véritable auteur dramatique écrit sa pièce en la voyant jouer, en voyant d'avance les acteurs qui entrent et qui sortent, qui se groupent et qui ont, en s'adressant les uns aux autres, telle ou telle attitude, et ne peut faire bien qu'à ce prix ; tout de même le lecteur doit voir, comme si elle était représentée, la pièce qu'il lit et pour ainsi dire presque littéralement entendre les couplets et les répliques.

Pourvu que l'on ait été quelquefois au théâtre, on s'habitue vite à lire ainsi, et, si l'on s'y habitue, on arrive, assez vite aussi, à ne pouvoir plus lire autrement. Rien, du reste, n'est plus agréable, et ce spectacle dans un fauteuil n'a d'autre inconvénient que d'affaiblir un peu en nous le désir de voir jouer des pièces dans un théâtre surchauffé, trop odorant et incommode. On arrive par cette méthode, et c'est un petit excès, à voir, à travers le couplet d'un acteur, surtout la figure de celui qui ne parle pas et à qui le couplet est adressé, et c'est surtout Suréna qu'on suit des yeux pendant que Pompée a la parole, et la figure d'Orgon que l'on compose et que l'on contemple en la composant quand Donne le raille ou quand Cléonte le chapitre.

Cet excès n'a rien de très dangereux, puisqu'on peut, et c'est le grand avantage du spectacle dans un fauteuil, puisqu'on peut relire.

Cette méthode est tout à fait indispensable pour ce qui est du théâtre antique. Sans pousser cette sollicitude jusque une sorte de manie, il ne faut jamais oublier, en effet, que le théâtre antique est sculptural, que les personnages y forment des groupes harmonieux faits pour satisfaire les yeux amoureux de la beauté des lignes autant que l'esprit amoureux de la beauté des pensées ; que les Grecs ne cessent jamais d'être artistes et qu'il faut nous faire artistes nous-mêmes pour goûter leur théâtre, sinon autant qu'ils le goûtaient, du moins de la manière, d'une des manières, et importante, dont ils le goûtaient. Ne doutez point que l'introduction du *troisième personnage* sur la scène à partir de Sophocle, ne leur ait été, en partie, du moins, inspirée par un souci de groupement artistique et que la règle inverse : *ne quarta loqui persona laboret* (il ne faut pas qu'un quatrième personnage se mêle au dialogue) ne leur ait été inspirée par la même considération.

Remarquez que, dans la comédie, qui n'a pas ou qui n'est pas tenue d'avoir les mêmes préoccupations artistiques, le même idéal sculptural, il est assez rare qu'un groupe de trois personnages occupant le théâtre en même temps soit présent à nos yeux.

Il faut donc, en lisant Sophocle et Euripide, celui-là surtout, restituer et tenir sous notre vue le groupement des personnages aménagés pour produire une émotion esthétique. Relisez surtout à ce point de vue *Antigone*, *Œdipe roi* et *Œdipe à Colone*.

Quelquefois même le théâtre français a quelque chose de cela, non point ou presque jamais dans Racine, mais dans Corneille. Auguste, Maxime et Cinna forment un groupe ; le roi, Don Diègue et Chimène forment un groupe ; le vieil Horace intervenant (II, 7) entre Horace, Curiace, Sabine et Camille pour dire : « Qu'est ceci, mes enfants, écoutez tous vos flammes » forme un groupe et d'une très grande beauté. On pourrait multiplier ces exemples.

— C'est considérer la tragédie comme un opéra !

— La tragédie grecque est un opéra. La tragédie française n'en est pas un ; mais parce qu'elle ne laisse pas d'être inspirée de la tragédie grecque, et surtout parce qu'elle a en elle l'esprit même de la tragédie, il lui arrive, du moins par le souci des groupements à la fois savants et naturels, aussi par les morceaux lyriques qu'elle admet, d'avoir avec l'opéra des analogies qui ne sont pas douteuses et qui sont très loin d'être une dégradation ou de marquer une déchéance.

En tout cas, lorsqu'on lit une tragédie ou une comédie, il faut s'habituer à la voir. Il faut faire grande attention aux entrées et aux sorties des acteurs, à leurs mouvements, indiqués quelquefois par le texte, à l'attitude que ce qu'ils disent suppose qu'ils doivent avoir, aux jeux de physionomie que leurs paroles permettent d'imaginer.

Brunetière faisait remarquer que le début de *Phèdre* est très précisément un tableau, toutes les paroles de Phèdre étant des descriptions de sa personne, de ses attitudes et de ses gestes. L'auteur, en effet, en pleine possession non seulement de son génie, mais de son expérience théâtrale, aurait voulu forcer l'actrice, même de trois siècles après lui, à jouer comme il l'entendait et non pas à son gré à elle, qu'il n'aurait pas écrit autrement ; il semble avoir dicté la mimique mot à mot et c'est-à-dire geste par geste :

N'allons pas plus avant, demeurons, chère Œnone,

Phèdre n'a fait que quelques pas sur le théâtre et s'arrête, fatiguée, presque épuisée ; l'arrêt doit être brusque, une des mains de la reine cramponnée au bras de sa nourrice :

Je ne me soutiens plus, ma force m'abandonne ;

Toute une attitude lassée, déprimée ; une sorte d'écroulement du corps.

Mes yeux sont éblouis du jour que je revois;

Évidemment une main s'élève pour protéger les yeux que la lumière du soleil blesse et meurtrit.

Et mes genoux tremblants se dérobent sous moi.

D'une démarche chancelante, elle cherche un siège que, nécessairement, d'une main, la nourrice approche d'elle, tandis que de l'autre elle continue de la soutenir. Tout est réglé dans le plus petit détail par le texte même.

Phèdre s'assied, avec un « hélas ! » qui n'est que le « Ah ! » d'accablement que nous poussons en nous asseyant ou en nous couchant après une grande fatigue.

Que ces vains ornements, que ces voiles me pèsent !
Quelle importune main, en formant tous ces nœuds,
A pris soin sur mon front d'assembler mes cheveux !

La main glisse sur le péplum, esquisse le geste de le rejeter, pendant que les épaules frémissent ; puis remonte vers le front et esquisse le geste de repousser les cheveux sur les épaules ; puis, fatiguée de l'effort, retombe et traîne pendant que Phèdre dit d'une voix qui languit :

Tout m'afflige et me suit et conspire à me nuire.

Plus loin, après qu'Œnone, prosternée devant Phèdre et « embrassant ses genoux », l'a longtemps suppliée de lui révéler son fatal secret, Phèdre :

Tu le veux, lève-toi.

Ce mot indique tout un jeu de scène, coupe nettement le dialogue, sépare tout ce qui suit de tout ce qui précède, prépare l'attention du spectateur pour la révélation qui enfin va se produire, dessine aux yeux Phèdre encore assise et Œnone debout, attentive et anxieuse. Mais pourquoi faut-il qu'Œnone se lève ? Pour que Phèdre se lève elle-même quelques instants après ; car, pour la liberté des gestes dans le grand récit que Phèdre doit faire tout à l'heure, à partir de : « Mon mal vient de plus loin… », il convient qu'elle soit debout. Or, elle n'aurait aucune raison de se lever, si Œnone était assise et elle en a une grande raison si Œnone est debout, parce qu'à une personne qui est debout on parle de plus près, plus directement, plus intimement, si l'on est debout soi-même.

Phèdre se lèvera donc tout à l'heure, et c'est pour qu'elle se lève avec vraisemblance que Racine fait lever Œnone, ce qu'il est naturel, du reste, que Phèdre lui commande, puisqu'Œnone, vieille femme, est à genoux, inclinée et dans une position incommode et fatigante.

Mais, à quel moment Phèdre elle-même se lèvera-t-elle ? Ce n'est pas indiqué par le texte. Nous pouvons la voir se lever, soit quand elle dit : « Tu vas ouïr le comble des horreurs » ; soit quand elle dit : « C'est toi qui l'as nommé », soit quand elle dit : « Mon mal vient de plus loin ».

Dans le premier cas, au moment où la confidence commence, il est naturel qu'instinctivement elle veuille se rapprocher de la personne à qui elle la fait et que, puisque cette personne est debout, elle se lève elle-même.

Dans le second cas, même raison avec cette particularité qu'Œnone ayant nommé Hippolyte, ce nom réveille dans l'esprit de Phèdre l'idée de la nécessité de parler à Œnone confidentiellement et de très près.

Dans le troisième cas, la confidence est faite par ce mot même : « C'est toi qui l'as nommé » ; il reste à la donner dans tout son détail. Ce détail même étant honteux, il est naturel que Phèdre, qui en prévoit toutes les hontes, se rapproche de sa confidente et pour cela se lève.

Pour moi, je vois Phèdre se lever à : « Tu vas ouïr », mais il vous est loisible de placer ce mouvement à l'un ou à l'autre des trois endroits que j'ai indiqués. À tout autre, je ne serais pas de votre avis.

Ce que j'en dis, du reste, n'est que pour insister sur l'avantage de cette méthode qui consiste à se représenter les mouvements et les attitudes des acteurs et reconstituer l'action. On ne doit pas lire un drame autrement, et il me semble qu'en vérité on ne le peut pas.

J'ai vu représenter le commencement d'*Athalie* de la façon suivante : Abner apparaît à gauche, Joad apparaît à droite, reconnaît de loin Abner, lui fait un geste qui veut dire : « Ah ! c'est vous ! Je suis heureux de vous voir ici ». Abner lui *répond* : « Oui, je viens dans son temple adorer l'Éternel. »

C'est assez théâtral ; sans doute ; car, à montrer les deux personnages comme continuant une conversation commencée, on est forcé de les faire apparaître sortant de la coulisse ensemble, côte à côte, pour ainsi dire presque bras dessus bras dessous et cela est un peu bourgeois. Donc il faut faire comme je viens de dire qu'on fait.

Peut-être ; mais il me semble que jamais la lecture ne donnerait l'idée de cette façon de présenter les choses. « Oui », est une réponse à une parole et non pas à un geste. Pour qu'Abner dise « oui », il faut que Joad ait parlé. Joad, traversant le théâtre pour venir au-devant d'Abner, doit parler, doit avoir parlé pour qu'on lui réponde « oui », et, ne provoquant ce « oui » que par un geste, est un peu étrange et il semble avoir une extinction de voix ; ou semble être étourdi par la surprise et il n'y a vraiment pas lieu. Non, c'est bien une conversation commencée qui continue, et c'est ainsi que l'a voulu Racine ; et donc il faut présenter Joad et Abner plus bourgeoisement, entrant par le fond, de front, et conversant déjà ensemble. Voyez ainsi.

De même, quand Oreste et Pilade entrent en scène, Oreste disant : « Oui, puisque je retrouve un ami si fidèle ». Point de jeu de scène. Ils entrent et il n'y a rien autre.

Au contraire, quand Agamemnon réveille Arcas et lui dit : « Oui, c'est Agamemnon, c'est ton roi qui t'éveille », il y a jeu de scène évident et il n'y a point conversation commencée qui continue. Arcas dort, Agamemnon entre, lui touche le bras. Arcas se réveille et manifeste son étonnement de voir Agamemnon à son chevet, ce qu'il est tout naturel qu'il fasse sans parler encore ; et il va parler, mais Agamemnon, très impatient, fiévreux, comme la suite de la scène le montre, lui dit : « Oui, c'est moi ; j'ai à te parler ». Il le lui dit plus solennellement : mais c'est le ton de la tragédie qui le veut ainsi. Ici, je crois qu'il y a jeu de scène. Voyez de la sorte.

En tout cas, voyez ; habituez-vous à voir. Une des choses qui distinguent une pièce bien faite d'une pièce mal faite, une pièce vivante d'une pièce sans vie, c'est que la première, on la voit, et que la seconde, on ne la voit pas. De même que le bon dramatiste a écrit sa pièce en la voyant, de même le bon lecteur lit la pièce en la dressant devant ses yeux.

De quelque art, du reste, qu'il s'agisse, le secret du dilettante, c'est d'attraper l'état d'esprit où l'artiste a été lui-même en composant son œuvre et de savoir plus ou moins pleinement le garder et s'y maintenir. « Je ne trouve pas cette femme si belle, disait un Athénien devant une statue de Phidias. — C'est que tu ne la vois pas avec mes yeux, lui dit un autre. — Es-tu donc l'auteur ? — Plût à Dieu ! mais j'ai quelquefois comme une illusion que je le suis. »

C'est une grande jouissance encore en lisant les auteurs dramatiques et qu'on éprouve plus en lisant les auteurs dramatiques que tous les autres, que d'observer les différences de style entre les divers personnages. Les auteurs dramatiques — un peu aussi les romanciers, mais moins — ont cela de particulier qu'ils ont plusieurs styles et qu'il faut qu'ils en aient plusieurs, faisant parler les personnages les plus différents et devant avoir autant de styles qu'ils ont de personnages. On reprochait à un auteur dramatique de ne pas avoir de style. Il répondit spirituellement : « Ne savez-vous pas qu'un auteur dramatique ne doit pas avoir de style ? »

59

Comme presque toutes les réponses spirituelles, celle-ci n'est juste que prise d'un certain biais. La vérité est qu'un auteur dramatique doit avoir un style, plus cent autres qui ne sont pas le sien. Il doit avoir un style à lui et qui se reconnaîtra toujours quand il fait parler le personnage qui le représente, ou toutes les fois, dans quelque rôle que ce soit, qu'il fait dire à quelqu'un ce qu'il dirait en effet lui-même. C'est ici qu'est son style à lui. Il doit avoir cent autres styles différents et dont il n'est pas responsable, ou plutôt pour lesquels il n'est responsable que de leur vérité relative et circonstancielle, à l'usage des différents personnages qu'il fait parler, bourgeois, homme du peuple, paysan, valet, marquis, hypocrite de religion, etc.

Il y a plus : le langage change, non seulement selon les conditions, mais selon les caractères, ou plutôt le langage change selon les conditions et le style change selon les caractères. L'avare ne parle pas comme le prodigue, le timide comme le fanfaron, le Don Juan comme le craintif auprès des femmes, etc. ; non seulement ils ne disent pas les mêmes choses, mais ils n'ont pas le même tour de style. Un auteur disait : « Mon Guillaume le Taciturne m'embarrasse ; car de quel style le faire parler ? Il ne suffit pas de lui donner un style laconique ; il faudrait qu'il ne dît rien ; ce n'est pas un personnage de théâtre. » Il est plus difficile de trouver le style d'un caractère que d'inventer le caractère lui-même. Bellac, du *Monde où l'on s'ennuie*, n'était pas difficile à inventer, puisqu'il est toujours dans la réalité et qu'il suffisait de *s'en aviser* ; ce qui était malaisé, c'était de lui trouver son style, et c'est à quoi Pailleron a admirablement réussi.

Léon Tolstoï fait remarquer, et c'est pour lui un critérium, que Shakespeare est un bien mauvais poète dramatique, puisqu'il n'a qu'un style, oratoire, poétique, lyrique, pour tous ses personnages, d'où conclusion que Shakespeare n'est pas, à proprement parler, un poète dramatique. Le critérium, quoique insuffisant s'il est unique, est très juste : le poète dramatique se révèle vrai créateur d'hommes par plusieurs choses, *en particulier* par ceci qu'il a autant de styles qu'il a de personnages.

La critique à l'égard de Shakespeare est assez injuste ; car précisément Shakespeare fait parler de la façon la plus différente du monde Falstaff et Othello, Iago et Hamlet, les Joyeuses commères et Béatrix, la nourrice de Juliette et Juliette elle-même.

Et enfin, il reste quelque chose de la critique, parce que, à la vérité, Shakespeare a été trop grand poète et particulièrement trop grand poète lyrique pour ne pas, un peu, faire parler ses principaux personnages d'une manière qui ne les distingue pas suffisamment les uns des autres.

Vous observerez que nos tragiques du XVIe siècle font parler leurs personnages tous de la même façon et qu'il en résulte une monotonie cruelle ; que Corneille est excellent pour donner à Félix, à Stratonice, à Polyeucte et à Sévère des styles qu'on ne peut pas confondre ; que Racine, quoiqu'il y faille de meilleurs yeux, par des nuances, au moins très sensibles, sait fort bien distinguer le langage de Néron de celui de Narcisse, et aussi de celui d'Agrippine.

Mais le maître en ce genre, maître incomparable, du moins à considérer tous les auteurs français, et pour les autres je sens mon incompétence, c'est Molière, qui trace un caractère par le style même du personnage dès les premières répliques qu'il prononce, qui met des nuances de style sensibles entre des personnages à peu près semblables, et par exemple entre Philaminte, Armande et Bélise, peut-être et je le crois, entre Mademoiselle Cathos et Mademoiselle Madelon ; qui indique par des styles différents les différents âges, même, d'un même personnage ; car on sait parfaitement que Don Juan n'a pas le même âge au cinquième acte qu'au premier, malgré l'apparente observation de la règle des vingt-quatre heures, et qu'il change de caractère du commencement à la fin de la pièce ; or, observez le style, et vous verrez que de ces différences dans le caractère et de ces différences d'âge, le style même vous avertit.

Il est à remarquer même que l'auteur dramatique varie naturellement son style selon les nuances de caractère d'un même personnage. On sait assez qu'Orgon, — et c'est une des grandes beautés de l'ouvrage — a deux caractères, selon, pour ainsi dire, qu'il est tourné du côté de Tartuffe ou tourné du côté de sa famille, autoritaire dans sa maison, docile au dernier degré devant « le pauvre homme ». Or, cela est marqué par des différences de style qui sont extrêmes.

Quand Orgon parle à sa fille c'est de ce style tranchant et acerbe :

Ah ! voilà justement de nos religieuses,
Lorsqu'un père combat leurs flammes amoureuses.
Debout ! Plus votre cœur répugne à l'accepter
Plus ce sera pour vous matière à mériter ;
Mortifiez vos sens avec ce mariage,
Et ne me rompez pas la tête davantage.

Et, quand c'est l'élève de Tartuffe qui parle, même non plus devant lui, mais répétant une leçon qu'autrefois il a apprise de lui, voyez le style sinueux, tortueux, serpentin, voyez la démarche de Tartuffe dans le style d'Orgon :

> Ce fut pour un motif de cas de conscience :
> J'allais droit à mon traître en faire confidence
> Et son raisonnement me vint persuader
> De lui donner plutôt la cassette à garder,
> Afin que pour nier, en cas de quelque enquête,
> J'eusse d'un faux-fuyant la faveur toute prête,
> Par où ma conscience eût pleine sûreté
> À faire des serments contre la vérité.

De même Elmire, qui a un style si court, si direct et si franc dans la scène trois du troisième acte, parce qu'elle n'est nullement une coquette, quoi que d'aucuns en aient cru, change de style, non seulement en ce sens qu'elle parle un tout autre langage, comme le lui fait remarquer Tartuffe (« Madame, vous parliez tantôt d'un autre style ») ; mais aussi dans le sens grammatical du mot, quand elle a pris un caractère d'emprunt ; et le style alambiqué, torturé de la coquette, ou bien plutôt de la femme qui ne l'est point et qui s'efforce péniblement de l'être, lui vient aux lèvres et marque tout justement ce changement momentané de caractère et avertirait et mettrait en défiance le convoiteux, s'il n'était étourdi par sa convoitise.

> Et lorsque j'ai voulu moi-même vous forcer
> À refuser l'hymen qu'on venait d'annoncer,
> Qu'est-ce que cette instance a dû vous faire entendre,
> Que l'intérêt qu'en vous on s'avise de prendre,

Et l'ennui qu'on aurait que ce nœud qu'on résout,
Vint au moins partager un cœur que l'on veut tout.

Un auteur dramatique ne doit se servir de son style à lui et ne s'en sert, en effet, s'il a tout son art, que quand il parle en son nom et je veux dire quand il fait parler le personnage qui le représente ou le personnage qui lui est particulièrement sympathique. Il y a un style de Corneille, un style de Racine, un style de Molière.

Le style de Corneille est celui des Don Diègue des Rodrigue et des Horaces.

Le style de Racine est le style de ses héroïnes, et l'on voit très bien que le style des hommes, chez lui, si savant qu'il soit, est plus tendu, plus voulu, j'hésite à dire plus artificiel, et semble lui avoir coûté plus de peine.

Le style de Molière est celui de ses raisonneurs et de ses railleurs : c'est celui de Cléante et d'Henriette, un peu (et non pas tout à fait) celui de Chrysale. C'est là qu'il faut le chercher, et précisément, c'est en le cherchant là qu'on saisira les différences entre le style personnel et le style qu'il invente et qu'il crée à l'usage des personnages étrangers à lui et pour les peindre.

Ces études sont très intéressantes ; elles ne se peuvent faire un peu sérieusement qu'à la lecture ; cela même prouve qu'il faut lire les pièces de théâtre ; les pièces de théâtre se relevant au-dessus ou s'abaissant au-dessous de la représentation à la lecture que l'on en fait. Je ne dis pas pour cela que la lecture soit le vrai tribunal, ce qu'on pourrait toujours me contester et ce que rien ne me permet d'affirmer ; je dis seulement qu'il y en a deux et que la lecture en est un où il est agréable de siéger et autant ou moins que dans l'autre.

Un des plaisirs encore de la lecture des poètes dramatiques est de distinguer ce qui, comme pensée, est d'eux et ce qui est de leurs personnages. Cette recherche est d'autant plus engageante, d'autant plus passionnante que l'on sent bien qu'elle n'aboutira jamais complètement, qu'elle n'aboutira jamais qu'à peu près. Jamais l'auteur n'est responsable totalement de l'un quelconque de ses personnages. Jamais ce n'est absolument lui-même qu'il peint dans un de ses héros ; jamais ce n'est absolument lui qui parle par la bouche de l'un d'eux. Il ne faut pas dire que Chrysale soit Molière, ni même que Gorgibus soit Molière, ni que le Cléante de *Tartuffe* soit Molière (et ici j'ai peur que, si on le croyait, on ne se trompât plus qu'ailleurs), ni même que le Clitandre des *Femmes Savantes* soit Molière encore, quoique ici j'estime qu'on serait plus près de la vérité. Cependant, nous avons quelque moyen d'approximation pour ainsi dire. Le personnage, par exemple, qui raille le personnage ridicule représente approximativement l'auteur, et il n'y a pas à douter beaucoup que ce que dit la Dorine de *Tartuffe* ne soit ce que Molière pense lui-même ; le personnage, dans les pièces à thèse, qui « raisonne », qui fait une dissertation, qui exprime des idées générales et à qui, cela est important, *l'adversaire n'a rien à répondre*, peut être considéré comme exprimant, à très peu près, la pensée de l'auteur. Thouvenin dans *Denise* est bien évidemment Dumas fils lui-même. Remarquez bien ce procédé de Molière :

Monsieur mon cher beau-frère avez-vous tout dit ? —
Oui. — Je suis votre valet.

Et Orgon s'en va. Cela veut dire : « Cléante a raison, non seulement parce qu'il raisonne bien ; mais parce qu'Orgon ne trouve pas un mot à lui répliquer ; et donc Orgon n'obéit qu'à sa passion et Cléante obéit à son jugement ». Molière use assez souvent de ce procédé qui est un avertissement au spectateur et au lecteur. Arnolphe :

Prêchez,   ratiocinez   jusqu'à   la   Pentecôte,
Vous serez ébahi, quand vous serez au bout.

Que   vous   ne   m'aurez   rien   persuadé   du   tout.
— Je ne vous dis plus mot.

De même et d'une façon prolongée, dans la *Critique de l'École des Femmes* : « Tu ferais mieux de te taire… Je ne veux pas seulement t'écouter…. La, la, la, lare, la, la, la », etc. Toutes les fois que l'auteur montre le personnage B réduit à *quia* c'est qu'il déclare et qu'il proclame que celui qui a parlé par la bouche de A est l'auteur lui-même.

C'est pour cela que, de son temps, on a accusé Molière de donner raison à l'athéisme de Don Juan. Et pourquoi donc ? mais parce qu'il a montré comme représentant de la cause de Dieu un imbécile et particulièrement parce que, tout en raisonnant, Sganarelle tombe par terre et que Don Juan lui dit : « Voilà ton raisonnement qui se casse le nez ». Et certainement les apparences ici sont contre Molière.

De même on l'a accusé de louer, d'autoriser et de recommander « la plus infâme complaisance chez les maris », parce que c'est *le personnage raisonnable* de *l'École des Femmes* qui, à un certain moment, vante à Arnolphe les délices de l'état de mari trompé. On n'a pas compris ou point voulu comprendre, qu'au premier acte Chrysalde est en effet, l'homme raisonnable, et qui ne parle que raison, et qu'au quatrième, il est un bourgeois raillard qui, pour taquiner Arnolphe et le mettre en ébullition, soutient devant lui le paradoxe le plus propre à l'exaspérer. Et sans doute, il y a là, de la part de Molière, une légère faute au point de vue de la thèse à plaider puisqu'il la compromet ; mais l'erreur est plus grande encore de la part de ceux qui n'ont pas entendu qu'un homme de raison peut devenir à un moment donné un homme d'esprit et qui s'amuse. En résumé, sauf légères exceptions circonstancielles, on démêlera dans l'ouvrage d'un auteur dramatique ce qu'il pense lui-même en voyant à qui, dans la discussion, il donne « le raisonnement faible », comme disaient les sophistes ; à qui surtout il donne le raisonnement à quoi l'on ne répond rien, encore qu'à tout raisonnement on puisse répondre. Ceci même est la marque : puisqu'à tout raisonnement on en peut opposer un autre, que l'auteur, qui assurément pouvait faire répliquer Paul, lui fasse garder le silence, c'est le signe qu'il veut que ce soit Pierre qui soit hautement désigné par lui comme ayant raison.

Et, enfin, on distingue la pensée personnelle de l'auteur dramatique surtout à l'*accent* avec lequel un personnage parle. C'est ce qui trompe le moins. Personne ne doute, à la façon dont Suréna parle, que Corneille ne soit avec Suréna, et que Suréna ne jette au public la pensée même de Corneille. Personne ne doute que les Don Diègue et le vieil Horace ne soient le cœur même de Corneille.

Il y a des cas plus complexes. L'accent est aussi fort, en vérité, chez Polyeucte, chez Pauline et chez Sévère. C'est qu'il arrive, et c'est cela que précisément il faut comprendre, qu'il y a pour un auteur et qu'il y a réellement, plusieurs vérités, vérité d'enthousiasme, vérité d'amour, vérité de raison, et que, par ainsi, plusieurs personnages peuvent discuter, disputer et se torturer dans le sein même de la vérité. La raison de Corneille est avec Sévère, son cœur avec Pauline, sa foi avec Polyeucte ; les meilleures parties de lui sont partout répandues dans cette pièce et, par parenthèse, c'est une des raisons pourquoi cette pièce est si admirable.

Mais, retenons ceci : c'est l'accent qui est révélateur de ce qu'un auteur dramatique met de lui-même dans un ouvrage dramatique. Encore que ce soit l'essentielle qualité du dramatiste de se transformer en les personnages les plus différents et de vivre en eux ; encore que le dramatiste ne soit rien s'il n'est pas objectif, cependant le subjectif reste et c'est à l'accent que le subjectif se reconnaît.

Quand un personnage touche au lyrisme, doutez peu que ce ne soit l'auteur qui parle. Le lyrisme n'est pas tout entier littérature personnelle, mais il y a toujours quelque littérature personnelle dans le lyrisme.

On voit qu'une des plus vives *jouissances de réflexion* dans la lecture des poètes dramatiques est de reconnaître ce qu'ils mettent eux-mêmes dans leurs œuvres. On voit aussi que cette recherche est difficile et qu'il n'y manque pas de chances de se tromper ; ce n'est qu'une raison de plus pour la faire, quand il s'agit de plaisir, et, dans le petit livre que j'écris, il n'est question que de cela ; le risque de se tromper aiguise le désir de voir juste et relève le plaisir d'avoir probablement raison, et il y a un plaisir, je ne dirai pas plus grand, mais plus piquant, à être à peu près certain qu'on a raison, qu'à en être pleinement sûr.

CHAPITRE V

Les Poètes

Les poètes proprement dits, et par là j'entends les poètes épiques, les poètes élégiaques et les poètes lyriques, doivent être lus d'une façon un peu différente, comme du reste ces poètes en prose qui sont les grands orateurs, et ces autres poètes en prose qui, par le nombre de leur phrase, sont des musiciens. Ils doivent être lus d'abord tout bas et ensuite tout haut. D'abord tout bas, pour que l'on comprenne leur pensée ; car la plupart d'entre nous, par l'effet de l'habitude, ne comprennent guère qu'à moitié ce qu'ils lisent tout haut ; ensuite à haute voix, pour que l'oreille se rende compte du nombre et de l'harmonie, sans que, cette fois, l'esprit laisse échapper le sens, puisqu'il s'en sera préalablement rempli.

La lecture à haute voix ou plutôt à demi-voix, car il ne s'agit pas de déclamer, mais simplement d'appeler l'oreille à son secours pour se rendre compte, devra être dirigée de la façon suivante. Elle repose avant tout sur la ponctuation ; il faut tenir compte, ce que l'on fait si peu en lisant tout bas, des points, des virgules et des points et virgules ; et ce précepte est aussi essentiel qu'il est élémentaire et aussi rarement suivi qu'il est essentiel. La ponctuation n'est pas moins importante pour le nombre que pour le sens et c'est pourquoi une faute de ponctuation met les auteurs et particulièrement les poètes au désespoir. Rappelons l'exemple classique à cet égard. Musset avait écrit dans *Carmosine* :

> *Depuis le jour où le voyant vainqueur,*
> *D'être amoureuse, amour, tu m'a forcée,*
> *Fût-ce un instant, je n'ai pas eu le cœur*
> *De lui montrer ma craintive pensée,*
> *Dont je me sens à tel point oppressée,*
> *Mourant ainsi, que la mort me fait peur.*

Le typographe avait imprimé, bien naturellement :

> *De lui montrer ma craintive pensée,*
> *Dont je me sens à tel point oppressée.*
> *Mourant ainsi, que la mort me fait peur !*

Musset, il le dit dans sa correspondance, fut malade de chagrin. Il y avait de quoi. Au point de vue de la correction, on lui avait fait faire une faute ; « dont je me sens à tel point oppressée » étant laissé sans complément et restant en l'air. Mais au point de vue du nombre, la faute, qu'on lui faisait commettre était encore plus grave ; car ces vers forment une strophe de six vers couplés, menés deux à deux, avec, ce qui est très conforme aux lois générales du rythme, un repos assez fort après le premier distique, un repos un peu moins fort, mais un repos encore, après le second distique :

> *Depuis le jour où le voyant vainqueur,*
> *D'être amoureuse, amour, tu m'as forcée,* ‖
> *Fût-ce un instant, je n'ai pas eu le cœur*
> *De lui montrer ma craintive pensée,* |
> *Dont je me sens à tel point oppressée,*
> *Mourant ainsi, que la mort me fait peur.*

Tandis qu'en ponctuant comme le typographe avait fait, même avec une syntaxe correcte, comme je vais faire, nous aurons un distique, puis trois vers d'une seule tenue de voix, puis un vers isolé ; deux, trois, un ; et tout rythme est détruit.

> *Depuis le jour où le voyant vainqueur*
> *D'être amoureuse, amour, tu m'as forcée,* |
> *Fût-ce un instant, je n'ai pas eu le cœur*
> *De lui montrer ma craintive pensée,*
> *Dont je me sens lourdement oppressée.* |
> *Mourant ainsi, que la mort me fait peur !*

Oui, tout rythme est détruit et l'on se trouve en présence d'une de ces dissonances, ou plutôt d'une de ces arythmies que les poètes sans doute se permettent et même cherchent parfois, mais pour produire un effet particulier, à quoi ici on ne voit pas qu'il y ait lieu.

Il faut donc lire sur une édition bien ponctuée et il faut faire une attention scrupuleuse à la ponctuation.

Ensuite, il faut faire attention au nombre et à l'harmonie, qui ne sont pas absolument la même chose. J'appelle nombre une phrase d'une certaine longueur qui est bien faite, dont les différentes parties sont en juste équilibre et satisfont l'oreille comme un corps aux membres proportionnés et bien attachés satisfait les yeux : une phrase nombreuse, c'est une femme qui marche bien.

J'appelle harmonieuse une phrase qui, *de plus*, par les sonorités ou les assourdissements des mots, par la langueur ou la vigueur des rythmes, par toutes sortes d'artifices, naturels, du reste, dans la disposition des mots et des membres de phrases, représente un sentiment, peint la pensée par les sons, et la mêle ainsi plus profondément à notre sensibilité.

Ce qui suit n'est qu'une phrase nombreuse ; du reste, elle l'est à souhait, et sans affectation ni raffinement, par où elle est un vrai modèle : « Vous verrez dans une seule vie toutes les extrémités des choses humaines, | la félicité sans bornes aussi bien que les misères, | une longue et paisible jouissance d'une des plus nobles couronnes de l'Univers, | tout ce que peuvent donner de plus glorieux la naissance et la grandeur accumulée sur une seule tête, | qui ensuite est exposée à tous les outrages de la fortune ; | la bonne cause d'abord suivie de bon succès | et, depuis, des retours soudains, des changements inouïs, | la rébellion longtemps retenue, à la fin tout à fait maîtresse, | nul frein à la licence ; les lois abolies ; la majesté violée par des attentats jusqu'alors inconnus, | l'usurpation et la tyrannie sous le nom de liberté, | une reine fugitive qui ne trouve aucune retraite dans trois royaumes | et à qui sa propre patrie n'est plus qu'un triste lieu d'exil, | neuf voyages sur mer entrepris par une princesse malgré les tempêtes, | l'océan étonné de se voir traversé tant de fois en des appareils si divers et pour des causes si différentes, | un trône indignement renversé et miraculeusement rétabli. »

Cette période est composée de membres de phrase d'une longueur inégale, mais non pas très inégale, de membres de phrase qui vont d'une longueur de vingt syllabes environ à une longueur de trente syllabes environ et c'est-à-dire qui sont réglées par le rythme de l'haleine sans s'astreindre à en remplir toujours toute la tenue, et qui ainsi se soutiennent bien les uns les autres et satisfont le besoin qu'a l'oreille de continuité à la fois et de variété, de rythme et de rythme qui ne soit pas monotone.

De même (je préviens tout de suite qu'ici les membres de phrases sont plus courts) : « Celui qui règne dans les Cieux et de qui relèvent tous les empires, | à qui seul appartient la gloire, la majesté et l'indépendance, | est aussi le seul qui se glorifie de faire la loi aux rois | et de leur donner quand il lui plaît de grandes et terribles leçons. | Soit qu'il élève les trônes, soit qu'il les abaisse, | soit qu'il communique sa puissance aux princes, soit qu'il la retire à lui-même et ne leur laisse que leur propre faiblesse, | il leur apprend leurs devoirs d'une manière souveraine et digne de lui. | Car en leur donnant sa puissance, il leur commande d'en user comme il fait lui-même pour le bien du monde, | et il leur fait voir en la retirant que toute leur majesté est empruntée | et que pour être assis sur le trône | ils n'en sont pas moins sous sa main et sous son autorité suprême. »

Nous avons ici des membres de phrase presque toujours de dix-sept, dix-huit, dix-neuf ou vingt syllabes, donc presque égaux, plus égaux que dans le précédent exemple, et, puisque en même temps ils sont plus courts, obéissant à un rythme plus marqué ; la phrase est essentiellement nombreuse.

Une phrase harmonieuse sera celle qui peindra quelque chose par les sons : paysage, musique de la nature, faits, sentiment, pensée. Dans le premier exemple que nous avons donné, il y avait déjà quelque trace, non plus seulement de nombre, mais d'harmonie. On peut le prendre au point de vue de l'harmonie de la façon suivante, en la scandant *quelquefois*, non plus seulement en ayant égard à la reprise de l'haleine, mais à l'accent rythmique que doit mettre l'orateur sur certains mots et qui les isole, eux avec les quelques mots qui les précèdent, du reste du membre de phrase ; et alors nous avons ceci.

D'abord, pour peindre un règne heureux, des membres de phrases assez longs, se faisant bien équilibre les uns aux autres jusqu'à : « et depuis… ». — Ensuite, pour peindre l'anarchie, un rythme *relativement* brisé et heurté : Des retours soudains, des changements inouïs, | la rébellion retenue et à la fin tout à fait maîtresse, | nul frein à la licence, | les lois abolies. » — Enfin, pour peindre la bonace revenue, la période tombant et se reposant sur un rythme très net, très précis, presque de versification (un vers de 9, un vers de 10) et majestueux : « Un trône indignement renversé et miraculeusement rétabli. »

Mais ici l'harmonie expressive ne fait que se mêler *un peu et de temps en temps* au nombre. Voici où elle règne en maîtresse et fait la période toute sienne.

« Comme un aigle qu'on voit toujours, soit qu'il vole au milieu des airs, soit qu'il se pose sur le haut de quelque rocher, porter de tous côtés ses regards perçants, | et tomber si sûrement sur sa proie qu'on ne peut éviter ses ongles non plus que ses yeux ; | aussi vifs étaient les regards, aussi vite et impétueuse était l'attaque, aussi fortes et inévitables, | étaient les mains du prince du Condé. »

Au point de vue de la tenue de l'haleine, il faut scander, je crois, comme j'ai fait ; mais au point de vue de l'harmonie expressive il faut accentuer les mots *airs, rocher, perçants, proie, yeux, regards, attaque* et *inévitables*, et alors nous voyons que les choses sont peintes par les mots, et c'est-à-dire, ici, par le rythme général, par les sonorités et par les silences.

Comme rythme général, deux grandes demi-périodes, l'une largement ouverte et comme à pleines ailes, montrant l'aigle évoluant dans le ciel, puis fondant sur sa proie ; l'autre plus courte, plus pressée et plus pressante, donnant cette sensation que non seulement aussi vite et aussi foudroyant, mais plus vite et plus foudroyant encore était le vol du prince de Condé.

Comme sonorités, le mot *rocher*, sec et dur, où l'on voit l'aigle comme cramponné ; le mot *perçant* rappelé par le mot *yeux* qui dessine si fortement, surtout pour les contemporains de Condé, le trait essentiel de la figure du prince ; le mot *attaque*, brusque et éclatant ; le mot *inévitables* qui donne l'impression d'un grand filet où le général enveloppe l'ennemi.

Comme silences enfin, la pose de la voix après la première demi-période et après le mot *inévitables*.

Tout cela est une peinture musicale, tout cela est l'harmonie expressive. Et je n'ai pas besoin d'ajouter qu'ici, comme il doit être, le nombre et l'harmonie concourent, l'harmonie ne contrarie pas le nombre et au contraire s'associe avec lui intimement et la voix s'arrête, selon le nombre, sur le mot *inévitables*, comme, selon l'harmonie, le mot *inévitables* doit être vigoureusement accentué.

Voyez encore cette phrase de Chateaubriand : « Les matelots se passionnent pour leur navire ; ils pleurent de regret en le quittant, de tendresse en le retrouvant. Ils ne peuvent rester dans leur famille ; après avoir juré cent fois qu'ils ne s'exposeront plus à la mer, il leur est impossible de s'en passer ; comme un jeune homme ne se peut arracher des bras d'une maîtresse orageuse et infidèle. »

Le magnifique effet rythmique de la fin est dû au contraste entre les lignes sans rythme du commencement et le rythme imprécis et flottant, mais singulièrement séducteur, de la fin : « comme un jeune homme, | ne se peut arracher des bras, | d'une maîtresse orageuse | et infidèle ».

Voyez ceci, de Renan : « Je suis né, déesse aux yeux bleus, de parents barbares, chez les Cimmériens bons et vertueux qui habitent au bord d'une mer sombre, hérissée de rochers, toujours battue par les orages. On y connaît à peine le soleil ; les fleurs sont les mousses marines, les algues et les coquillages colorés qu'on trouve au fond des baies solitaires. Les nuages y paraissent sans couleur et la joie même y est un peu triste ; mais des fontaines d'eau froide y sortent des rochers et les yeux des jeunes filles y sont comme ces vertes fontaines où, sur des fonds d'herbes ondulées, se mire le ciel. »

Je laisse de côté l'effet de peinture qui est étonnant ; mais j'appelle l'attention sur l'effet rythmique ; il est dans l'opposition, légère du reste, et qu'il serait inepte de marquer comme un contraste, mais dans l'opposition cependant, des sons étouffés, sourds, des tons tristes « mousses marines… au fond des baies solitaires…, nuages sans couleur » et des sons plus clairs, plus chantants, sans avoir rien d'éclatant, de triomphant ni de sonore, « yeux de jeune fille…, vertes fontaines…, se mire le ciel ». Il est aussi dans les membres de phrase courts en même temps qu'ils sont sourds, des membres de phrase déprimés du commencement, auxquels s'oppose le membre de phrase final, non pas allègre, mais libre, mais libéré, s'espaçant discrètement, mais s'espaçant et prenant du champ et qui semble comme l'expression du soulagement et de la reprise de la vie dans un sourire : « les yeux des jeunes filles y sont (verts et bleus à la fois) comme ces vertes fontaines où sur un fond d'herbes ondulées se mire le ciel. »

Ainsi, en lisant à haute voix, vous vous pénétrez des rythmes qui complètent le sens chez les écrivains qui savent écrire musicalement ; du rythme qui est le sens lui-même en sa profondeur ; du rythme qui, en quelque façon, a précédé la pensée (car il y a trois phases : la pensée en son ensemble, en sa généralité : « Je suis né en Bretagne » — le rythme qui chante dans l'esprit de l'auteur, qui est son émotion elle-même et dans lequel il sent qu'il faut que sa pensée soit coulée — le détail de la pensée qui se coule en effet dans le rythme, s'y adapte, le respecte, ne le froisse pas et le remplit) ; du rythme enfin qui, parce qu'il est le mouvement même de l'âme de l'auteur, est ce qui, plus que tout le reste, vous met comme directement et sans intermédiaire en communication avec son âme.

Ouvrez La Fontaine n'importe où ; aussi bien c'est ce que je viens de faire ; et lisez à demi-voix :

Dans un chemin montant, sablonneux, malaisé,
Et de tous les côtés au soleil exposé...

sons lourds, sourds, durs, rudes, compacts, sans air ; car il n'y a pas d'*e* muets ; sensation d'accablement.

Six forts chevaux tiraient un coche,

vers aussi lourd, aussi rude, plus rude même, mais plus court, qui par conséquent serait plus léger s'il n'était pesant par la rudesse des sons et qui, à cause de cela, semble tronqué, semble n'avoir pas pu aller jusqu'à fin de lui-même.

Femmes, moine, vieillards, tout était descendu,

Celui-ci plus léger, du moins, moins accablé ; c'est que ceux-ci marchent ou se promènent, ou s'ébrouent et, par comparaison avec le coche, sont presque allègres. Mais l'attelage…

L'attelage suait, soufflait, était rendu,
retour des sonorités sourdes, du vers compact et serré.

Une mouche survient et des chevaux s'approche
Vers léger, rapide, presque dansant ; c'est une étourdie qui entre en scène.

Prétend les animer par son bourdonnement,
Vif, courant, d'une seule venue, mais sourd : c'est le travail, inutile, mais c'est le travail ardent, concentré, très sérieux pour elle, de la mouche, qui est commencé.

Pique l'un, pique l'autre et pense à tout moment
Qu'elle fait aller la machine,
Léger cette fois et presque allègre. C'est la joie impertinente de la mouche, du commissaire du comité dans un cortège, qui est exprimée.

S'assied sur le timon, sur le nez du cocher,
Le commissaire se repose un moment en s'appuyant à un bec de gaz ; il souffle, il s'essuie le visage ; il va recommencer ; le vers est à la fois stable et inquiet ; il exprime un mouvement qui reprend au moment presque où il s'arrête.

Aussitôt que le char chemine
Et qu'elle voit les gens marcher,
Reprise du mouvement, du mouvement général ; changement de rythme.

Elle s'en attribue uniquement la gloire,

Vers ample, étoffé, qui se termine sur une sonorité éclatante, sur une fanfare.

Va, vient, fait l'empressée ; il semble que ce soit
Un sergent de bataille, allant en chaque endroit,
Faire avancer les gens et hâter la victoire.

Vers vastes, développés et enveloppants, circulaires, par où l'on voit la mouche parcourant toute la périphérie du champ d'activité, toute à tous, se multipliant et réalisant une ubiquité inutile et orgueilleuse.

Ainsi de suite. Faites ces observations ou des observations analogues, ou contraires ; mais faites-en pour tirer tout le parti possible des écrivains qui savent écrire en musique. Faites-en même sur ceux qui ne le savent point. Pourquoi ? Pour constater qu'ils ne le savent point et par là mieux apprécier ceux qui le savent.

Vous observerez peut-être que Delille, qui est extrêmement estimable comme versificateur, ne peut pas se lire à haute voix. D'où vient ? De ce qu'il peint et souvent très bien, mais ne chante pas. Il n'est pas musical ; il ne peint jamais par les sons. Corneille, admirablement oratoire, est musical très rarement. Ses vers lyriques eux-mêmes ont le mouvement et merveilleux (« Source délicieuse en misères fécondes… ») mais n'ont pas l'harmonie expressive. Il lui arrive cependant, comme à tout grand poète, d'atteindre à cette partie de l'art et il dira :

Et la terre et le fleuve et leur flotte et le port
Sont des champs de carnage où triomphe la mort.

et il dira aussi :

Lui, sans aucun effroi, comme maître paisible,
Jetait dans les sillons cette semence horrible,

D'où s'élève aussitôt un escadron armé,
Par qui de tous côtés il se trouve enfermé,
Tous n'en veulent qu'à lui, mais son âme plus fière,
Ne daigne contre eux tous s'armer que de poussière.
À peine il la répand qu'une commune erreur,
D'eux tous, l'un contre l'autre, anime la fureur ;
Ils s'entr'immolent tous au commun adversaire,
Tous pensent le percer quand ils percent leur frère,
Leur sang partout regorge, et Jason, au milieu,
Reçoit ce sacrifice en posture d'un dieu.

Et de même dans Racine, mélodieux plutôt qu'harmonieux, flattant l'oreille par le nombre savamment observé et ingénieusement inventé, plutôt que peignant par les sons, cependant on trouve, sans bien chercher, des vers sonores dont les sonorités ont un sens, donnant une impression de grandeur, de triomphe ou d'immense désolation :

Lorsque de notre Crète il traversa les flots,
Digne sujet des vœux des filles de Minos,
Et la Crète fumant du sang du Minotaure,
Dans l'Orient désert quel devint mon ennui !

Et si vous me dites qu'à faire ainsi, l'on finit par dénaturer le poète, l'on finit par ne plus chercher en lui que le musicien et par ne plus le trouver poète quand il ne fait plus de la musique ; je vous répondrai que, quand on commence à sentir cela, on doit faire taire l'orchestre comme on éteint une lampe ; qu'on doit cesser de lire tout haut et recommencer à lire tout bas et que, de même que pour saisir l'idée et s'en pénétrer on doit d'abord lire tout bas, de même, après avoir assez longtemps lu tout haut, on doit revenir à la lecture intime pour retrouver devant soi l'homme qui pense.

Le poète, comme aussi le grand prosateur, ne livre pas du même coup tous ses genres de beautés et ne peut pas donner à la fois tous les plaisirs qu'il est capable de donner. Il en faut user avec lui comme avec un peintre, dont tantôt on étudie la composition, tantôt le dessin, tantôt la couleur, tantôt les figures et physionomies humaines, tantôt les eaux et tantôt le ciel. L'impression d'ensemble se fera plus tard de tous ces éléments d'impression fondus ensemble.

Un grand plaisir, difficile pour la plupart et pour moi du moins, avec les prosateurs, très facile avec les poètes, est, non plus de lire, mais de réciter de mémoire les morceaux qui se sont fixés dans notre esprit et que nous chérissons de dilection particulière. Il est rare que je me promène sans me réciter à moi-même quelqu'une des pièces suivantes : « *Marquise si mon visage...* » ; *les deux Pigeons* ; « *Ô mon souverain roi, me voici donc tremblante...* », « *Si vous voulez que j'aime encore...* » ; *la Jeune Captive* ; *le Lac* ; *la Tristesse d'Olympio* ; *le Souvenir* ; plus souvent *la Vigne et la Maison* ; *la Voie lactée* de Sully-Prudhomme, *l'Agonie*, du même. Dans cette récitation solitaire, il arrive de petites choses assez notables. On scande autrement. Je ne sais pas trop pourquoi, à vrai dire, mais peut-être parce que le papier et l'impression d'un volume du XVIIe siècle suggèrent de couper l'alexandrin à l'hémistiche, je ne lis jamais la prière d'Esther sans scander ainsi :

Ô mon souverain roi,
Me voici donc tremblante, | *et seule devant toi.*

Et quand je me récite à moi-même ces vers, je ne manque jamais de scander :

Me voici donc | tremblante et seule | devant toi,

la seule manière de scander, du reste, qui ait le sens commun.

Quand je lis, malgré la virgule qui devrait me crever les yeux, je scande ou au moins j'ai tendance à scander :

Toujours punir, toujours | trembler dans vos projets

Et quand je me récite à moi-même, je ne manque pas de scander :

Toujours punir, | toujours trembler dans vos projets.

Et je ne vais pas sans doute en lisant jusqu'à scander comme j'ai entendu un acteur de la Comédie Française le faire :

Passer des jours entiers | et des nuits à cheval,

mais j'ai bien quelque tendance à en user ainsi. Et, quand je me récite à moi-même, je scande :

Passer | des jours entiers et des nuits | à cheval,

Quand on se récite des vers, on les possède plus intimement en quelque sorte ; on les couve en soi ; il vous semble qu'on les fasse et on les fait selon le rythme vrai qu'ils doivent avoir, que la pensée qu'ils expriment doit leur donner.

Cette manière d'incubation a donc, non seulement ses plaisirs, mais ses avantages.

Il arrive aussi, et cela est moins heureux, que l'on altère le texte. Je me suis longtemps cité à moi-même le vers de Voltaire ainsi : « Il est deux morts, je le vois bien... » Le texte est : « On meurt deux fois, je le vois bien » ; qui, au moins comme euphonie est très préférable. Je me suis longtemps cité le vers de *Ruy-Blas* ainsi :

Je donne des conseils aux ouvriers du nonce.

Le texte est : « Je donne des avis », qui est le mot propre. De même dans le *Jean Sévère* de Victor-Hugo :

Un discours de cette espèce,
Sortant de mon hiatus,
Prouve que la langue épaisse,
Ne rend pas l'esprit obtus.

Le texte est : « Ne fait pas l'esprit obtus », qui est le mot nécessaire. Je dois confesser à ma honte que, toutes les fois que j'ai constaté une altération de texte faite par moi, j'ai dû reconnaître que le texte de l'auteur était beaucoup meilleur que le mien ; mais ceci même est une comparaison très instructive et très utile pour l'étudiant en littérature.

Pour un seul texte — je ne le dis qu'en rougissant et en permettant du reste qu'on se moque de moi — je ne puis pas me décider à croire que je n'ai pas raison contre l'auteur. Je me suis toujours récité à moi-même la fin du *Semeur* de la façon suivante :

L'ombre où se mêle une lueur,
Semble élargir jusqu'aux étoiles
Le geste auguste du semeur,

C'est le *sublustri noctis in umbra*, que j'avais dans l'esprit, qui me faisait altérer ainsi le vers de Victor Hugo. Le texte est : « L'ombre où se mêle une rumeur ». Je ne puis pas le préférer. Il n'y a pas de rumeur à ce « moment crépusculaire », et il est indifférent pour l'effet à produire qu'il y en ait une ou qu'il n'y en ait pas, et c'est à ce « reste de jour » mêlé à l'ombre que l'auteur et le lecteur doivent penser, pour bien *voir* le geste du semeur élargi jusqu'au ciel. Je penche à croire que Victor Hugo a mis « rumeur » par horreur de la rime pauvre.

Quoi qu'il en soit, ces corrections de soi-même et même ces corrections de l'auteur, quelque irrespectueuses et quelque aventureuses qu'elles soient, aiguisent le goût, tout au moins vous renseignent, ce qui n'est pas sans profit, sur celui que vous avez.

Il est un autre exercice, tout voisin de celui-ci, qui consiste à aviser dans un poète médiocre, intéressant pourtant, une pièce qui ne vous déplaît pas, mais qui ne satisfait pas entièrement votre goût, que l'on approuverait tournée d'autre façon, comme dit Boileau, et de la refaire en promenade ou dans une insomnie, par exemple en la resserrant (ne jamais faire l'inverse) en mettant en stances de vers octosyllabiques des stances de vers alexandrins. C'est amusant ; et l'on compare après et c'est amusant encore. Mais nous sortons un peu de l'art de lire proprement dit.

CHAPITRE VI

Les écrivains obscurs

Il y a une catégorie d'auteurs qu'au point de vue de l'art de lire il faut considérer très attentivement : ce sont, comme on les a appelés, « les auteurs difficiles », c'est-à-dire ceux qu'on ne comprend pas du premier regard, ni même du second, les Lycophron, les Maurice Scève, les Mallarmé. Ces auteurs jouissent toujours d'une très grande réputation. Ils ont un ban et un arrière-ban d'admirateurs. Le ban est composé de ceux qui prétendent les entendre, l'arrière-ban de ceux qui n'osent pas dire qu'ils ne les comprennent pas et qui, sans les lire, déclarent qu'ils sont exquis. Ceux du premier ban sont tout à fait fanatiques, leur admiration étant faite de l'admiration qu'ils ont pour leur intelligence et du mépris qu'ils font de l'inintelligence d'autrui. Ce sont des initiés ; ils ont toute la morgue et toute l'intransigeance des initiés aux mystères.

Remarquez qu'ils n'ont pas absolument tort. Ils partent de ce principe que tout texte qui est compris du premier coup par n'importe qui n'est pas de la littérature. Et ce principe n'est point tout à fait faux. Peut être compris du premier coup par n'importe qui un trait de sentiment qui parfois du reste est fort beau.

Je t'aimais inconstant ; qu'aurais-je fait fidèle ?

est une fort belle chose et peut être entendu par le premier venu, et qu'il soit entendu du premier venu n'est point du tout une raison pour le trouver vulgaire et le forclore de la littérature.

Mais il est très vrai aussi que tout texte *où il y a de la pensée* ne peut être qu'un lieu commun s'il est compris de prime abord. Vous n'avez pas compris du premier coup *la Mise en liberté* de Victor Hugo et je ne songe qu'à vous en féliciter.

Il y a donc quelque chose de juste dans le principe des amateurs d'auteurs difficiles. Mais ils l'exagèrent, premièrement en excluant ainsi de la littérature toute sensibilité, ou tout au moins toute sensibilité générale et en n'admettant que des sentiments rares très difficiles à pénétrer, c'est-à-dire à ressentir ; secondement, même quand il s'agit de pensée, en voulant que rien de la pensée ne soit compris du premier coup. La pensée doit se présenter, et c'est sa façon d'attirer à elle, de manière à être entendue, du premier abord, en son ensemble, de manière à être apparemment et même partiellement accessible ; il faut ensuite qu'à la reprendre on s'aperçoive qu'on ne l'avait pas entièrement entendue et qu'elle est digne d'être creusée, et qu'on la creuse en effet, et qu'on la trouve toujours plus riche ; et s'il se peut, il faut enfin qu'elle soit pour ainsi dire inépuisable.

Et la pensée, qu'on aura, pour ainsi parler, vidée du premier coup, n'est assurément qu'un lieu commun ; mais il est très important qu'une pensée originale soit d'abord accessible et comme hospitalière, ensuite se révèle comme digne d'un examen prolongé et l'exigeant.

Mais, c'est ce que les amateurs d'auteurs difficiles n'admettent point. Ils veulent que la pensée se garde tout d'abord du lecteur profane par l'obscurité, pour attirer par elle les raffinés, les divinateurs, ceux qui sont intelligents d'une façon exquise. Ils veulent que la pensée fasse le vide autour d'elle pour avoir le plaisir, eux, de franchir la zone déserte, d'entrer dans le sanctuaire, d'y séjourner et surtout d'en sortir en déclarant qu'ils ont compris, mais qu'il s'en faut que tout le monde en puisse autant faire.

Et c'est ceci qui est exagéré et qui est une manie intellectuelle.

Je vois tel auteur, de qui, en m'appliquant, je ne comprends littéralement pas une ligne et que jeunes gens, femmes, enfants comprennent parfaitement, jusqu'à assurer que tout ce qu'il dit les étonne si peu qu'ils l'avaient pensé avant lui. Je me récuse et dis que je ne comprends pas, malgré un grand désir et un grand zèle. On me répond, des yeux du moins et de la mine, car nous sommes un peuple poli : « Oh ! quand il sera clair de manière que vous l'entendiez… » La joie pour certains et même pour beaucoup est d'abord de comprendre, mais surtout de comprendre ce que le vulgaire ne comprend pas. Il y a du ragoût. Ainsi se forme, autour de certains auteurs, des élites qui se savent gré de le pénétrer et lui savent gré d'être impénétrable.

Elles sont composées, il me semble ainsi quand j'y songe, de plusieurs éléments divers. Il y a ceux qui ne comprennent pas, qui savent qu'ils ne comprennent pas et qui font semblant de comprendre et d'admirer. Ce sont les faux dévots de ce culte. Ils en usent ainsi par calcul de vanité et pour se faire prendre par la foule pour des intelligences supérieures.

Il y a ceux qui vraiment comprennent quelque chose, assez peu, mais vraiment quelque chose.

— Comment font-ils ?

— Dans ce qui n'a pas de sens, ce sont eux qui en mettent un ; dans ce qui ne contient aucune pensée, ce sont eux qui mettent une pensée ou quelque chose d'analogue qui est à eux. Ceux-ci ont précisément besoin de textes obscurs pour y évoluer à l'aise et, pour ainsi parler, de textes creux pour y verser leur pensée propre. Un texte clair les arrête, les limite, les fixe devant lui et ne leur permet que de le comprendre et non pas eux. Descartes exige qu'on le comprenne, et ne permet pas qu'on l'imagine ; un texte obscur se prête à toutes les interprétations, c'est-à-dire à toutes les imaginations dont il sera, non la source, mais le prétexte. Un texte obscur est un vêtement où quiconque peut se couler et, s'y étant introduit, admirer ou goûter la figure qu'il y fait. Un texte obscur est un miroir brouillé où chacun contemple le visage qu'il rêve d'avoir. Il y a donc des gens qui comprennent quelque chose dans les textes inintelligibles à savoir ce qu'ils y ont mis et qui ont besoin de textes inintelligibles pour n'être point passifs dans une lecture, pour ne pas subir, pour n'être pas réduits au rôle d'adhérents, et pour n'adhérer, plus ou moins consciemment, plus ou moins inconsciemment, qu'à eux-mêmes.

Et enfin il y a ceux, très sincères et très désintéressés, les vrais dévots de ce culte-ci, assez nombreux encore, qui ne peuvent admirer que ce qu'ils ne comprennent pas. Ils existent ; il y en a même plus qu'on ne croit ; c'est une disposition d'esprit ; c'est l'attrait du mystère ; c'est la curiosité du caché, c'est l'attraction de l'abîme, c'est un vertige doux ; c'est le prestige exercé sur nous par ce qui nous dépasse, échappe à nos prises, nous défie. Par jeu, je disais dans ma jeunesse : « Je n'admire que ce que je ne comprends pas, que ce que je me sens incapable de comprendre, et il me semble que c'est tout naturel. Ce que je comprends, il me semble que moins le style, moins un certain tour de main, que je n'ai pas, je le ferais. Donc je ne l'admire pas, je l'approuve ; je ne l'admire pas, je le reconnais ; il ne m'éblouit pas, il augmente en moi une lumière que j'avais déjà. Ce que je ne comprends pas me dépasse et, par conséquent, m'impose ; il m'intimide ; il me fait un peu peur ; je l'admire ; il y a dans toute admiration un peu de terreur. Je me dis : à quelle hauteur ou à quelle profondeur faut-il que soit cet homme pour que je ne le distingue plus. Et je sens que, quelque effort que je fasse, il sera toujours à cette hauteur ou à cette profondeur, à cette distance de moi ; j'admire, je suis éperdu, je suis au moins inquiet, d'admiration. »

Ce que je disais par amusement, il en est qui ne le disent point, mais qui sont très réellement et très exactement dans l'état d'esprit que je viens de décrire. Ceux-ci ont besoin de texte obscur pour satisfaire un besoin d'admiration qui est un besoin d'inquiétude. Ils sont dans un état d'âme très connu, celui des amateurs de sciences occultes. Il n'y a dans leur cas rien d'étonnant.

— Mais nous, gens du commun et qui ne prétendons qu'à nous instruire et surtout à jouir de nos lectures, devons-nous lire les auteurs difficiles, c'est-à-dire les auteurs auxquels, à une première lecture, nous prévoyons que nous n'entendrons jamais rien ?

— Mon Dieu, oui ! D'abord parce qu'il y a une certaine paresse intellectuelle qu'il est bon de vaincre, de heurter contre de très grandes difficultés, contre de redoutables obstacles, pour qu'elle n'augmente point et pour que, en augmentant, elle ne vous mène très bas. Vous vous habituerez — transportons-nous à une autre époque pour ne blesser personne — vous vous habituerez à lire Delille qui assurément n'offre aucune difficulté ; vous en viendrez peu à peu, fuyant l'effort et le redoutant, à ne lire que les romans de Mme Cottin, et vous ne pourrez jamais aborder le *Second Faust*, ce qui vraiment sera dommage.

Il faut donc s'exercer les dents sur les auteurs difficiles. À ne pas le faire, on risque déchéance. J'ai connu dans ma jeunesse des hommes lettrés qui déclaraient le *Second Faust* inintelligible et qui trouvaient Victor Hugo obscur. Pour trouver Victor Hugo obscur, de quels Bérangers et même de quels sous-Bérangers faut-il s'être exclusivement nourri ?

Mais comment lire les auteurs difficiles ? Tous ne sont pas lisibles par des gens comme nous, et il en est qui ne le sont que par gens appartenant à l'une des trois catégories que j'indiquais plus haut. Il en est qui sont obscurs naturellement, spontanément, très loyalement, sans artifice ; qui sont capables, ce qui est une chose encore que je n'ai jamais comprise, d'exprimer par des mots, de mettre sur le papier, une pensée qui n'est pas devenue nette dans leur esprit ; pour qui la parole ou l'écriture n'est pas un instrument d'analyse ; pour qui la parole ou l'écriture n'est pas une épreuve qui force à se rendre compte de ce qu'on pense ; qui, en un mot, peuvent exprimer ce qu'ils ne conçoivent pas. Ceux-ci, sans doute, il faut les laisser sur le vert, et je ne vois guère quel profit l'on en pourrait tirer ; car de penser, à propos d'eux, ce qu'ils n'ont point pensé et ce qu'ils auraient pu penser s'ils avaient pensé quelque chose, cela est un peu vain et si hasardeux qu'il vaut mieux penser directement pour son compte.

Mais il en est, et ce sont, je crois, les plus nombreux, qui sont obscurs volontairement et de propos fait, pour s'acquérir la gloire délicate et précieuse d'auteurs obscurs, et voici comment ils ont procédé. Ils ont pensé *en clair*, d'abord, comme tout le monde, puis, par des substitutions patientes de mots impropres aux mots justes, de tournures bizarres aux tours simples, d'inversions aux tours directs, ils ont obscurci progressivement leur texte. Ils ont fait exactement l'inverse de ce que font les auteurs « qui n'écrivent que pour être entendus ». Ceux-ci ramènent progressivement l'expression vague à l'expression précise ; eux détournent laborieusement l'expression à peu près précise vers l'expression sibylline, sachant pour qui ils écrivent. Ils disent — le mot, assure-t-on, est authentique — : « Mon livre est fait ; je n'ai plus qu'à l'enténébrer un peu ». Nietzsche disait : « Enfin nous devenons clairs ! » ; ils disent, en remaniant leur œuvre : « Enfin je deviens obscur ». Ils se défendent, par l'obscurité, de l'indiscrétion de la foule ; ils se défendent, par l'obscurité, d'être compris de ceux par qui ce leur serait une honte d'être entendus.

Nietzsche a très bien saisi leur procédé et leurs intentions : « On veut, non seulement être compris quand on écrit, mais encore, certainement, n'être pas compris. Ce n'est nullement une objection contre un livre, quand il y a quelqu'un qui le trouve incompréhensible ; peut-être cela faisait-il partie du dessein de l'auteur de ne pas être entendu de n'importe qui. Tout esprit distingué, qui a un goût distingué, choisit ainsi ses auditeurs lorsqu'il veut se communiquer ; en les choisissant, il se gare contre les autres. Toutes les règles subtiles d'un style ont là leur origine : en même temps elles éloignent, elles créent la distance, elles défendent l'entrée ; en même temps elles ouvrent les oreilles de ceux qui nous sont parents par l'oreille. »

À la vérité, ce travail de Protée des auteurs difficiles, ce *noli me tangere, noli me intelligere*, est assez vain, puisqu'ils seront compris, adoptés, du moins « touchés » par ceux précisément, en majorité, par qui ils redoutent d'être entendus et dont ils craignent le contact, c'est-à-dire par les sots ; et ce sont ceux qui comprennent peu qui courent tout droit aux choses les plus difficiles à comprendre. Mais enfin tel est leur travail : ils se voilent, ils se masquent et ils se déguisent jusqu'au moment où ils se jugent impénétrables.

Or, ce travail qu'ils ont fait, faites-le à l'inverse et ramenez-les patiemment à la simplicité. Invertissez les inversions, tournez les termes impropres aux termes probablement justes, d'après le sens général du morceau, s'il en a un ; par une lecture attentive, pénétrez-vous de ce que l'auteur a sans doute voulu dire et, ainsi éclairés, si la chose est possible, saisissez les petits procédés par lesquels il a dérobé son idée aux regards et détruisez-les à mesure, jusqu'à ce que vous soyez en présence de l'idée elle-même, laquelle vous paraîtra souvent très ordinaire, mais quelquefois intéressante encore. « Vous voulez, Acis, me dire qu'il fait froid, dites il fait froid. » Eh bien !

précisément, par une sorte de filtrage et de décantation, contraignez Acis à dire : il fait froid.

Ce travail est très utile ; c'est un des exercices les plus vigoureux de l'intelligence et qui l'accroît et l'aiguise.

Montaigne a une page admirable sur l'art de compliquer ce qui est simple et d'obscurcir ce qui est clair : « Il n'est pronostiqueur, s'il a cette autorité qu'on daigne feuilleter et rechercher curieusement tous les plis et lustres [détours ?] de ses paroles, à qui on ne fasse dire tout ce que l'on voudra comme aux Sibylles ; il y a tant de moyens d'interprétation qu'il est malaisé que, de biais ou de droit fil, un esprit ingénieux ne rencontre en tout sujet quelque avis qui lui serve à son point [à son point de vue]. Pourtant [et c'est pourquoi] se trouve un style nubileux et douteux en si fréquent et ancien usage. Que l'auteur puisse gagner cela d'attirer et embesogner à soi la postérité, ce que non seulement la suffisance [la capacité] mais autant ou plus la faveur fortuite de la matière peut gagner, qu'au demeurant il se présente, *par bêtise ou par finesse*, un peu obscurément et diversement, ne lui chaille : nombre d'esprits, le blutant et secouant, en exprimeront quantité de formes, ou selon, ou à côté, ou au contraire de la sienne, qui lui feront toutes honneur, et il se verra enrichi des moyens de ses disciples, comme les régents du lendit. C'est ce qui a fait valoir plusieurs choses de néant, qui a mis en crédit plusieurs écrits et les a chargés de toutes sortes de matières qu'on a voulu, une même chose recevant mille et mille et autant qu'il nous plaît d'images et considérations diverses. »

Or bien, c'est juste le travail contraire qu'il convient que vous fassiez sur les auteurs difficiles. Ils se sont couverts d'ajustements compliqués et de harnois enchevêtrés ; il faut les mettre en chemise ; il faut les forcer d'être simples à leur corps défendant et les juger et peut-être les approuver et les goûter ainsi devenus.

— Mais de même qu'en lisant un auteur simple on prend assez facilement l'habitude, par la lecture méditée, d'y mettre beaucoup de choses qu'il n'a point pensées ou qu'il n'a pensées qu'*en puissance* ; tout de même, en simplifiant les auteurs compliqués, ne leur fait-on pas le tort de leur ôter leur seul mérite ?

— Il est assez vrai ; mais leur punition méritée est sans doute qu'on les dépouille, au lieu de les enrichir, eux qui veulent paraître plus riches qu'ils ne sont et qui donnent les apparences de la richesse à leur pauvreté ; et qu'on jette de la lumière dans l'appartement volontairement obscur où ils nous reçoivent, pour voir l'ameublement un peu usé sur lequel ils voulaient faire illusion.

En tout cas l'exercice, s'il est fatigant, est très sain et très utile. C'est une traduction d'un langage chiffré. Il s'agit de trouver le chiffre. Tant qu'on le cherche, c'est une bataille. Quand on l'a trouvé, c'est une victoire. Il ne faut point passer sa vie à chercher des chiffres et à déchiffrer. Mais de temps à autre, c'est une chose qui n'est ni sans plaisir ni sans profit.

CHAPITRE VII

Les mauvais auteurs

De même il est bon de lire quelquefois les mauvais auteurs. Ceci est très dangereux ; mais, si l'on y met de la discrétion, très salutaire encore.

C'est très dangereux : « Pourquoi aimez-vous, ce me semble, la conversation des imbéciles ?

— Ils m'amusent infiniment.

— Il ne faut pas se livrer beaucoup à cette volupté. Elle est malsaine. C'est un plaisir de malice qui est très sec et très desséchant et qui rend l'esprit très aride. Flaubert adorait les imbéciles. Il rêvait de faire une encyclopédie de la sottise et il en a donné deux gros volumes. C'est déjà trop. À ce jeu, on s'habitue à un immense orgueil et à se considérer comme infiniment supérieur, ce qui d'abord est assez déplaisant, et ce qui ensuite rend très peu capable de grandes choses ; car c'est en regardant en haut qu'on fait effort et qu'on tire de soi tout ce qui est possible qu'on en tire. Il n'y a rien de plus inutile que la grande partie de sa vie que Boileau a passée à lire de mauvais auteurs pour se moquer d'eux, et je vois là une grande petitesse d'esprit. Le métier qu'a fait Boileau ne se justifie que quand il s'agit d'un mauvais auteur qui jouit de la faveur générale, et par conséquent d'une funeste erreur publique à rectifier ; mais attaquer Pinchène et Bonnecorse, c'est s'accuser soi-même ; car c'est avouer qu'on les a lus, et qui vous forçait à les lire si ce n'est le désir d'y trouver matière à des épigrammes ? Et ce désir n'est pas charitable, et le genre littéraire qui en dérive est le plus méprisable des genres littéraires.

On remarque parmi les enfants beaucoup de petits moqueurs qui saisissent bien les ridicules des grandes personnes et de leurs camarades et qui se font par là une petite royauté, comme d'autres par la force ou par l'instinct et les qualités du commandement. La Bruyère les a bien connus : « Il n'y a nuls vices extérieurs et nuls défauts du corps [de l'esprit aussi, quoique moins] qui ne soient aperçus par les enfants ; ils les saisissent d'une première vue et ils savent les exprimer par des mots convenables : on ne nomme point plus heureusement. Devenus hommes, ils sont chargés, à leur tour, de toutes les imperfections dont ils se sont moqués. »

Vous reconnaissez certainement quelques-uns des petits garçons qui furent vos camarades de classe. Rappelez-vous maintenant ce qu'ils sont devenus. Leurs parents, tout en croyant devoir les gronder et en faisant mine, en étaient très fiers. Ils sont devenus des imbéciles. Rien ne révèle la débilité d'esprit et ne l'entretient comme la moquerie.

Il faut donc plutôt éviter que provoquer les occasions de se donner ou de confirmer en soi cette tendance. S'exercer à la moquerie, c'est avoir déjà et se conférer la volonté d'impuissance.

Cependant, il ne faut pas s'interdire tout à fait les livres des sots. C'est d'abord une catharsis. La catharsis est, comme on sait, l'art de se débarrasser sans danger d'un sentiment qui pourrait nuire, de s'en *purger* de telle sorte qu'il ne reste pas en nous pour nous torturer, ou qu'il ne s'exerce pas d'une manière mauvaise et funeste. Selon Aristote on se purge de la peur et de la pitié en les éprouvant, au théâtre, pour les malheurs de héros imaginaires, grâce à quoi elles ne demeurent pas en nous pour nous assombrir. Les acteurs savent qu'il faut avoir le *trac*, l'émotion paralysante, avant la représentation ou pendant la représentation, et ils disent : « Si on l'a avant, on ne l'a pas pendant ; on est purgé » ; et il est possible.

Or la moquerie exercée sur les mauvais livres est une catharsis. À l'exercer sur le mauvais livre, on lui donne satisfaction, et l'on n'a plus le besoin, peut-être, de l'exercer sur les personnes. C'est une soupape de sûreté. C'est la part du feu ; la malignité a eu son aliment ; elle se calme, elle s'apaise et elle ne nous anime plus.

J'ai dit « peut-être » ; car je n'en suis pas très sûr. Boileau est un exemple à l'appui de la théorie, Racine contre. Boileau épuisant sa malignité sur les méchants ouvrages, était d'humeur aimable dans le cours ordinaire de la vie ; Racine, criblant d'épigrammes les mauvais auteurs, demeurait d'humeur maligne dans son domestique, même à l'égard de son meilleur ami.

Alceste me paraît bien avoir été aussi bourru contre les livres que contre les personnes et contre les personnes que contre les livres, et Molière ne se trompe guère en connaissance des caractères. Mais enfin, il est possible que le railleur de livres canalise sa malignité.

Pour mon compte, je connais un Pococurante. Pourquoi aime-t-il à lire les livres, puisque, jamais non pas une seule fois de sa vie, il n'en a trouvé un bon ? Pourquoi ?

Évidemment parce qu'il prend du plaisir à les trouver mauvais. Cela est certain. Et ce sont des épigrammes continues, redoublées, triplées, renaissant indéfiniment les unes des autres. Et il semble ne lire que pour renouveler la matière épuisée de ses épigrammes. Naturellement il n'a jamais rien écrit. C'est, comme on a dit, un grand avantage que de n'avoir rien fait ; mais il ne faut pas en abuser. Il en abuse royalement. On demandait : « Pourquoi n'a-t-il jamais fait un livre ? » On répondit : « Parce qu'il l'aurait trouvé bon et que trouver bon un ouvrage l'aurait tellement désorienté qu'il en aurait fait une maladie ». Or, j'ai dit que je le connais ; il est extrêmement agréable et bienveillant envers les personnes ; c'est un homme du meilleur caractère.

Concluons que dans sa malveillance à l'égard des livres il a sa soupape. Il est possible que la lecture des mauvais livres soit une catharsis d'une très précieuse utilité morale.

Ensuite la lecture des mauvais livres forme le goût, à la condition qu'on en ait lu de bons, d'une façon qu'il ne faut pas mépriser, ni peut-être négliger. Au sortir des études scolaires, les jeunes gens se partagent à peu près en trois classes : ceux qui liront instinctivement de bons livres ; ceux qui en liront de mauvais, ou vulgaires, ou très médiocres ; ceux qui ne liront rien du tout. Les études scolaires donnent le goût du beau, ou l'horreur du beau, ou l'indifférence à l'égard de la littérature.

Elles donnent le goût du beau à ceux qu'elles ont intéressés, et ils ne songent plus qu'à retrouver des sensations d'art analogues à celles qu'ils ont éprouvées en lisant Horace, Virgile, Corneille et Racine, et c'est pour cela, disons-le en passant, qu'il faut toujours, au lycée, amener l'élève jusqu'aux auteurs presque contemporains, pour que, entre les grands classiques et les bons auteurs de leur siècle, il n'y ait pas une grande lacune qui les ferait désorientés en face des bons auteurs de leur siècle et qui les empêcherait de les goûter, par où ils seraient de ces humanistes qui ne peuvent entendre que les auteurs très éloignés de nous, gens respectables et peut-être même enviables, mais qui sont privés de grandes et saines jouissances.

Les études scolaires inspirent à jamais l'horreur du beau à ceux qu'elles ont ennuyés. À la vérité, il est évident qu'ils l'avaient déjà, mais ces études l'ont comme violemment développée. Figurez-vous un enfant qui, de naissance, n'aimerait pas la musique et que, par autorité paternelle, on aurait fait jouer du violon pendant dix ans : il ne pourrait plus passer devant un marchand d'instruments de musique.

Seulement, ceux que les études scolaires ont ennuyés se subdivisent en deux classes : ceux qui n'ont horreur que de la belle littérature et ceux qui ont horreur de toute littérature. Les premiers forment le contingent des lecteurs de mauvais écrivains, des lecteurs de romans niais, des lecteurs de poètes excentriques, etc.

Les seconds, de toute leur vie, ne liront que leur journal, en en choisissant un où l'on ne fera jamais de critique littéraire ; de quoi il ne faut pas les blâmer, car on est bien plus sot en contrariant sa nature qu'en la suivant.

Voilà les trois catégories. Or, il me semble qu'il ne faut être d'aucune des trois. Il est souhaitable qu'on ne soit pas de la troisième ; il est désirable qu'on ne soit pas de la seconde ; il n'est pas tout à fait sans danger d'être uniquement et strictement de la première. Supposez un homme, de nos jours, qui ne lirait que de l'Anatole France, du Loti, du Lemaître, du Bourget, du Régnier... Il me semble qu'il serait exactement dans la situation de cet humaniste dont je parlais plus haut : il n'aurait que le sentiment de l'excellent, avec une certaine étroitesse dédaigneuse d'esprit.

Aurait-il même le sentiment de l'excellent ? En vérité, je ne sais. C'est par comparaison que l'on a le sentiment de l'exquis. Ce n'est pas seulement par comparaison, sans doute, et la beauté nous frappe par elle-même et c'est-à-dire par un accord soudain entre notre façon de sentir et la façon qu'un autre a de créer. Mais il n'en est pas moins que mesurer les distances aide singulièrement à évaluer les hauteurs et, s'il n'est pas mauvais de connaître les prédécesseurs et les contemporains de Corneille pour bien entendre, pour entendre distinctement combien il est nouveau et combien il est grand, à toutes les époques il en est de même, et il faut pousser des reconnaissances dans le pays des médiocres pour revenir aux grands avec une faculté renouvelée d'admiration.

Chateaubriand parle d'un auteur de son temps qui, chaque année, allait faire sa remonte d'idées en Allemagne ; un homme sage doit aller faire de temps en temps chez les mauvais auteurs la remonte de ses facultés d'admiration.

Il n'est pas impossible que Boileau, dans la lecture des Pradon, n'ait cherché des raisons d'admirer davantage Racine. Cette pensée est consolante. On peut envisager les mauvais auteurs comme fonction de la gloire des grands. Un bon auteur peut dire des mauvais : « Que serais-je sans eux ? Je semblerais petit. » Un mauvais auteur peut dire d'un bon qui le méprise : « Ingrat ! Serait-il grand si je n'existais pas. »

Tant y a qu'il n'est pas inutile de retremper son goût pour les hommes d'esprit dans le commerce des imbéciles. Certaine table d'hôte a formé mon goût peut-être plus que Sainte-Beuve. Où en serais-je si je n'avais pas lu X… ? Je ne saurais pas le contraire de quoi il faut croire bon ; car il avait une infaillibilité à rebours qui donnait une idée de l'absolu.

Lisons un peu les mauvais auteurs ; à la condition que ce ne soit pas par malignité, c'est excellent. Cultivons en nous la haine d'un sot livre. La haine d'un sot livre est un sentiment très inutile en soi ; mais qui a son prix s'il ravive en nous l'amour et la soif de ceux qui sont bons.

CHAPITRE VIII

Les ennemis de la lecture

J'appelle ennemis de la lecture, non pas les multiples choses qui empêchent de lire et dont il faut reconnaître que la plupart sont excellentes, études scientifiques, vie d'action, sports, etc. Il est évident que notre temps n'est pas et ne peut pas être celui des liseurs. Ce que les anciens appelaient d'un mot charmant *umbratilis vita* n'existe plus guère. Presque personne n'a plus le temps de s'enfermer « à l'ombre » pendant plusieurs jours pour lire un livre. Le livre n'est plus lu que morceau par morceau, vingt pages par vingt pages et c'est-à-dire, même quand il est lu, n'est plus lu du tout, puisque la continuité dans la lecture est nécessaire, non seulement pour juger d'un ouvrage bien fait, mais pour l'entendre.

Un tout petit nombre, — « d'adorateurs zélés à peine un petit nombre » — d'hommes et de femmes aimant à lire composent aujourd'hui un public restreint pour lequel, un peu aussi par habitude, on continue d'écrire. Un auteur, de nos jours, est un moine qui écrit pour son couvent, isolé dans un petit monde isolé. La littérature est devenue conventuelle.

Pour certains, du reste, amoureux de la réputation à petit bruit et délicate, elle n'en est que plus agréable et que plus chère.

Mais ce n'est pas de ces ennemis-là que je veux parler. Tout compte fait, il me semble qu'ils ne peuvent être que très utiles. Ils éliminent les faux amis de la littérature, ceux qui ne liraient que s'il n'y avait pas d'autre distraction, ni d'autre passe-temps, gens par conséquent de très peu de goût, n'ayant pas la vocation et qui alimenteraient autant la basse littérature que la bonne et plutôt celle-là que celle-ci ; et ils laissent intacte la troupe de ceux qui sont véritablement nés pour lire. Je crois que la perte est nulle, si tant est même qu'il n'y ait pas gain.

Les ennemis de la lecture dont je veux parler, ce sont les tendances, les penchants et les habitudes qui empêchent de bien lire, de lire comme il est utile, profitable et agréable de faire.

À l'entendre ainsi, les principaux ennemis de la lecture sont l'amour-propre, la timidité, la passion et l'esprit de critique.

La Bruyère, dont le chapitre intitulé *Des ouvrages de l'esprit* contient tout un art de ne pas bien lire, a touché l'un après l'autre tous ces points et nous n'avons qu'à l'écouter : « L'on m'a engagé, dit Ariste, à lire mes ouvrages à Zoïle : Je l'ai fait. Ils l'ont saisi d'abord et, avant qu'il ait eu le loisir de les trouver mauvais, il les a loués modestement en ma présence et il ne les a pas loués depuis devant personne. Je l'excuse : je n'en demande pas davantage à un auteur ; je le plains même d'avoir écouté de belles choses qu'il n'a point faites. »

Ceci est l'amour-propre, l'amour de soi, la jalousie, empêchant de lire ou de jouir en lisant. Ces sentiments sont tout naturels de la part d'un auteur, et il est, en effet, bien

« excusable ». Cet écrivain — c'est je crois, un Anglais ; mais j'ai oublié son nom — disait : « Quand je veux lire un bon livre, je le fais ». C'est excellent comme estime de soi ; ce n'est même pas, peut-être, de l'orgueil proprement dit. Il est très vrai que, quand on est auteur et bon auteur, on doit nécessairement et sans vanité n'être satisfait que de ce que l'on fait soi-même, puisqu'on a une façon de penser toute particulière qui ne peut guère s'accommoder que d'elle-même.

Comment voulez-vous que Corneille puisse trouver bon Racine, qui goûte les sujets que Corneille a toujours évités et les manières de traiter les sujets que Corneille très visiblement n'aime point, et qui se donne tout entier à la peinture de l'amour, sentiment que Corneille a toujours considéré comme trop chargé de faiblesse pour pouvoir soutenir une tragédie ? Il y a une sorte d'incompatibilité d'humeur. Corneille, direz-vous, au moment même de la plus grande vogue de Racine, a fait *Psyché*. Voulez-vous mon sentiment secret ? Corneille n'a jamais été très fier ni très satisfait d'avoir écrit *Psyché*.

Comment veut-on que Voltaire, toutes raisons à part d'animosité et d'amour-propre, trouve bonne la *Nouvelle Héloïse* et bon l'*Émile* ? C'est proprement, de par la nature différente des esprits, la chose impossible. Les auteurs ont toutes sortes de motifs de ne pas admirer, ni même goûter les ouvrages de leurs confrères, motifs dont l'amour-propre est seulement l'un, duquel, du reste, je n'irai pas jusqu'à dire qu'il est le plus faible.

— Mais nous qui ne sommes pas auteurs, nous n'avons aucun amour-propre qui nous empêche de lire et de lire de la bonne façon. — Si bien ! Vous n'avez pas remarqué qu'un auteur est un ennemi ? Il l'est toujours. Il l'est toujours un peu. Si c'est un moraliste, il est un homme, d'abord qui s'arroge le droit de se moquer de vous. Vous vous en apercevez toujours, sourdement. S'il est un idéaliste, il vous présente des héros de vertu, de courage et de grandeur d'âme qu'il prétend être, du moins qu'il a l'air de prétendre être, puisqu'il était capable de les concevoir. Quand on peint son héros, on peint son idéal, et l'idéal que l'on a, on se croit toujours un peu, on se croit du moins par moment, de force à le réaliser. Tout au moins on a quelque air de cela. Poser un héros, c'est un peu se poser en héros. C'est une chose bien insupportable à beaucoup de lecteurs que cet air de supériorité. Si la petite lectrice naïve de romans se dit : « Quel beau caractère doit être ce monsieur Octave Feuillet », et est un peu amoureuse de M. Octave Feuillet » ; pour le même motif et par contre, l'amour-propre de bien des lecteurs regimbe contre Octave Feuillet et dit en grondant : « Cet auteur se donne bien du mal pour me faire entendre qu'il a plus de délicatesse que moi. Quel prétentieux ! »

Et votre amour-propre est blessé et votre jalousie s'éveille comme contre quelqu'un qui a plus de succès que vous dans un salon.

Inversement le réaliste vous « touche », comme on disait quelquefois au XVIIᵉ siècle, pour ne pas dire tout à fait blesser, ou au moins vous inquiète, quand il peint quelqu'un de ridicule qui pourrait bien être à peu près vous. Que de lecteurs ayant compris que Flaubert se moque d'Homais se sont dit : « Se railler d'un homme parce qu'il est anticlérical, ce n'est pas très fort ; après tout, moi je le suis et je ne suis pas si ridicule. Cet auteur écrit avec correction ; mais il est un peu impertinent. » L'amour-propre s'est éveillé et il est en garde.

Et, dans tous les cas, un auteur blesse ce sentiment profond d'égalité que nous avons tous. Il est un homme qui se détache de la troupe et qui prétend se faire admirer, au moins se faire écouter et nous divertir. Ce n'est pas une petite fatuité. C'est un homme qui dans un salon prend la parole ; c'est un homme qui dans un salon va du côté de la cheminée ; il faut qu'un homme ait bien de l'esprit pour se faire pardonner de s'être dirigé du côté de la cheminée. La première impression est toujours hostile. Il a toujours à vaincre cette première impression. Autant en a à faire l'auteur, quel qu'il soit du reste.

Au fond, bien des lecteurs ne pardonnent d'écrire qu'aux rédacteurs des faits divers dans les journaux. Ceux-ci n'ont point de prétention à l'invention, ils n'en ont point à la composition, ils n'en ont point au style. Ils sont utiles ; ils renseignent. Voilà de bons écrivains. Ils ne se font pas centre. Ils ne se donnent point des airs d'hommes supérieurs. Ils ne demandent pas, plus ou moins secrètement, l'admiration. Ils n'excitent aucune jalousie. Voilà de bons écrivains. Les sociétés décidément démocratiques n'en admettront sans doute pas d'autres.

Au vrai, si l'on ne s'ennuyait pas, on ne ferait jamais cet acte d'abnégation et d'humilité d'ouvrir un livre. On se contenterait de ses pensées, en estimant qu'elles valent bien toutes celles qu'un autre peut avoir. La lecture est une victoire de l'ennui sur l'amour-propre.

Du moment qu'elle est cela, l'auteur est toujours un peu un ennemi et lui-même a à remporter sur l'amour-propre une victoire. Et donc l'amour-propre est un ennemi de la lecture, terrible quand il est amour-propre d'auteur, notable encore quand il est amour-propre de n'importe qui. Continuons de lire La Bruyère ; il connaît la question ; il est homme qui a fait un livre et qui a désiré très vivement être lu et qui était assez intelligent pour comprendre, mieux encore que tout autre chose, les raisons qu'on pouvait avoir de ne le lire point ou de le lire mal : « Ceux qui par leur condition se trouvent exempts de la jalousie d'auteur ont, ou des passions, ou des besoins qui les distraient ou les rendent froids sur les conceptions d'autrui ; personne presque, par la disposition de son esprit, de son cœur et de sa fortune, n'est en état de se livrer au plaisir que donne la perfection d'un ouvrage. »

Et c'est-à-dire qu'un des ennemis de la lecture, c'est la vie même. La vie n'est pas liseuse, puisqu'elle n'est pas contemplative. L'ambition, l'amour, l'avarice, les haines, particulièrement les haines politiques, les jalousies, les rivalités, les luttes locales, tout ce qui fait la vie agitée et violente, éloigne prodigieusement de l'idée même de lire quelque chose. Millevoye, dans sa jeunesse, était commis de librairie. Son patron le surprit lisant : « Vous lisez, jeune homme ; vous ne serez jamais libraire. » Il avait raison : l'homme qui lit n'a pas de passions ; c'en est la marque ; et il n'aura pas même la passion de son métier, son métier fût-il de vendre des livres.

La plupart des parents n'aiment pas beaucoup le goût de la lecture chez leurs enfants. Chez les petites filles, c'est une menace qu'un jour elles ne lisent des romans ; et vous ne vous trompez pas beaucoup sur ce point ; elles ne liront guère autre chose. Chez les petits garçons, c'est bon dans une certaine mesure ; mais encore c'est inquiétant. On n'a pas trop de temps pour se faire une position. « Tu liras quand tu seras vieux, quand tu te seras tiré d'affaire. » Il y a bien quelque bon sens là-dedans. Qu'un homme lise, c'est une marque qu'il n'est pas bien ambitieux, qu'il n'est pas tourmenté par « le fléau des hommes et des dieux », qu'il n'a pas de passions politiques, auquel cas il ne lirait que des journaux, qu'il n'aime pas dîner en ville, qu'il n'a pas la passion de bâtir, qu'il n'a pas la passion des voyages, qu'il n'a pas l'inquiétude de changer de place ; même, remarquez qu'il n'aime pas à causer. L'effroyable quantité de temps que les hommes, surtout en France, dépensent à ne rien dire, et c'est à savoir aux délices de la conversation, suffirait à lire un volume par jour, mais empêche qu'on en lise un par an.

L'homme qui lit n'a même pas la passion nationale de la conversation. Que de passions n'a pas et ne doit pas avoir l'homme qui lit !

Et quand on songe qu'une seule suffit pour interdire qu'on soit liseur, on comprend que La Bruyère, ou tout autre auteur, soit effrayé des obstacles qu'il a à vaincre et du petit nombre de personnes qui restent, non pas pour lire son livre, mais pour n'être pas dans l'impossibilité de l'ouvrir.

Un autre obstacle, c'est la timidité, qui, du reste, est, elle aussi, une passion. La Bruyère n'a traité ce point qu'indirectement. Il n'a pas dit que la timidité fût un obstacle à lire un livre, il a dit qu'elle en est un à l'approuver : « Bien des gens vont jusqu'à sentir le mérite d'un manuscrit qu'on leur lit, qui ne peuvent se déclarer en sa faveur jusqu'à ce qu'ils aient vu le cours qu'il aura dans le monde par l'impression, ou quel sera son sort parmi les habiles ; ils ne hasardent point leurs suffrages, et ils veulent être portés par la foule et entraînés par la multitude. Ils disent alors qu'ils ont les premiers approuvé cet ouvrage et que le public est de leur avis. »

Un certain manque de courage à donner son avis est donc une cause que le bon ouvrage n'ait pas tout de suite le succès qu'il mérite, il est très vrai ; mais je dis que la timidité du lecteur est cause aussi qu'un ouvrage n'est pas autant lu qu'il en serait digne. Certains lecteurs, en effet, par une sorte de timidité, sont toujours des lecteurs en retard. Ils attendent, non seulement pour approuver, mais pour lire, que le suffrage du public se soit prononcé. Non seulement pour un livre ; mais pour un auteur ; et beaucoup ne lisent un ou plusieurs ouvrages d'un homme que quand il est passé grand écrivain dans l'estime de tout le public, ou quand il a été nommé de l'Académie française, ce qui, du reste, n'est pas tout à fait exactement la même chose ; ou quand ils apprennent sa mort ; ces lecteurs nécrologiques sont assez nombreux.

Il s'ensuit que ces lecteurs à la suite n'ont pas d'élan, d'ardeur, de ferveur, ni de vraie joie. Non seulement ils ne vont pas à la découverte, ce qui est un des plus grands plaisirs de la lecture, mais ils lisent dans un temps où, de quelque caractère durable que soit le livre et dût-il être immortel, il n'a plus sa nouveauté, sa fraîcheur, son duvet, sa concordance avec les circonstances qui, sans l'avoir fait naître, ont contribué du moins à sa formation et surtout lui

110

ont donné en partie sa couleur. Le plaisir de lire un livre suranné est toujours un peu languissant.

Il l'est plus que celui de lire un livre très ancien. Le livre très ancien est franchement d'un autre temps, il a tout son caractère archaïque ; il peut plaire pleinement ainsi ; il peut n'en plaire que davantage. Il en est de cela comme des modes. Ce n'est pas la mode d'il y a vingt ans qui est ridicule ; c'est celle d'il y a deux ans. Celle d'il y a vingt ans est ancienne, celle d'il y a deux ans *date*, elle est surannée ; celle d'il y a vingt ans est entrée dans l'histoire ; celle d'il y a deux ans n'est pas entrée dans l'histoire et est sortie de l'usage et son ridicule est de se donner ou d'avoir l'air de se donner comme étant encore dans l'usage alors qu'elle en est sortie. Il en est de même des livres qui ont dix ans et qui n'ont pas l'avantage d'en avoir cinquante. Vous avez remarqué qu'après la mort de tous les grands écrivains il y a une dépréciation de quelques années. C'est qu'aux yeux de la génération qui existe à ce moment-là, l'écrivain qui vient de disparaître est suranné ; il était un peu vieux ; on en avait assez de sa manière. Quelques années après, il a pris la place qu'il doit garder — ou à peu près ; car il y a toujours des fluctuations — qu'il doit garder indéfiniment. Dans ma jeunesse, vingt ans après 1848, Chateaubriand *était ridicule*. Il est remonté sur le trône vers 1875 et il y reste.

Être un lecteur retardataire est donc dangereux, c'est se préparer une série de déceptions ; c'est se réserver de lire toujours les auteurs dans un certain refroidissement de la température. « Employez vite ce remède, pendant qu'il guérit », disait un médecin, non pas sceptique, mais qui savait très au juste en quoi consiste la thérapeutique qui est

111

surtout une suggestion. Lisez cet auteur pendant qu'il est bon, dirai-je ; plus tard il deviendra mauvais ; plus tard encore il est possible qu'il redevienne bon ; mais alors vous ne serez plus là pour le lire. N'attendez pas pour faire commerce avec lui le moment intermédiaire où il sera mauvais.

Cette sorte de timidité qui fait le lecteur retardataire est un des grands ennemis du plaisir de la lecture.

Son plus grand ennemi encore, c'est l'esprit critique, entendu dans un certain sens du mot, et je prie qu'on attende, pour bien entendre ce que veux dire par là. Je suis forcé, ici, d'être un peu long.

La Bruyère a écrit une ligne qui est la plus fausse du monde comprise comme nous la comprenons infailliblement de nos jours, très juste dans le sens où, très probablement, il l'a entendue lui-même : « Le plaisir de la critique nous ôte celui d'être vivement touchés de très belles choses ». C'est précisément le contraire, répondra immédiatement l'homme de notre époque. Comment La Bruyère peut-il écrire cela, Boileau vivant ? Si Boileau a été « touché » plus « vivement » que personne des belles choses de Racine, c'est précisément parce qu'il était critique et parce qu'il jouissait d'autant plus des belles choses qu'il était plus horripilé des mauvaises. Qui a plus vivement, qui a plus passionnément joui des belles choses que Sainte-Beuve ? Et pourquoi ? Parce qu'il avait affiné son goût critique par une immense lecture méditée, parce qu'il avait toujours *lu en critique*. La critique n'est pas autre chose qu'un exercice continu de l'esprit, par lequel nous le rendons apte à comprendre où est le faux, le faible, le médiocre, le mauvais et à être très sensible au faux, au faible, au médiocre et au mauvais, grâce à quoi nous le sommes pareillement au vrai et au beau et infiniment plus que nous ne l'eussions été sans cet exercice.

Le lecteur, qui ne lit pas en critique, bon esprit du reste et juste, mais qui ne réagit point, ne fait pas une extrême différence entre Racine et Campistron, entre Rousseau et Diderot et entre Diderot et Helvétius. Il ne fait pas, dans le même auteur, de grandes différences entre un ouvrage et un autre, entre le *Misanthrope* et le *Mariage forcé*. La lecture est pour lui un plaisir passif, pour mieux parler un plaisir uni, sans accidents, sans montées et sans descentes, sans grandes émotions, sans transports d'admiration et sans irritations vives, sans émotions, pour tout dire d'un mot.

Le lecteur qui lit en critique se prive à la vérité de plaisirs médiocres ou moyens ; mais c'est la rançon ; et, par compensation de cette perte, il se prépare des plaisirs exquis quand il découvrira l'œuvre exquise. Ce ne sont donc pas les « très belles choses » dont il se prive, ce sont les très belles choses que d'avance il met à part en se mettant en état, quand il les trouvera, de les démêler du premier coup avec un cri d'amour et de gratitude.

Au fond il ne faut pas dire qu'il n'y a que les critiques qui ne jouissent pas ; il faut dire qu'il n'y a que les critiques qui jouissent vivement. Le lecteur critique est le lecteur armé, armé d'armes défensives. On ne l'emprisonne pas, on ne le garrotte pas du premier coup, ni facilement ; mais, précisément à cause de cela, quand on le charme c'est avec l'ivresse du plaisir qu'il laisse tomber toutes ses armes.

Ce n'est pas à dire (et Nietzsche a d'excellentes remarques sur ce point), que le lecteur doive être armé tout d'abord, en ouvrant le livre, ni le spectateur tout d'abord en voyant la toile se lever. Il faut d'abord se livrer, vouloir se livrer, se livrer par méthode. Nietzsche dit très bien : « *L'amour en tant qu'artifice*. Qui veut apprendre à connaître réellement quelque chose de nouveau, que ce soit un homme, un événement, un livre, fait bien d'adopter cette nouveauté avec tout l'amour possible, de détourner résolument sa vue de ce qu'il y trouve d'hostile, de choquant, de faux, même de l'oublier, si bien qu'à l'auteur d'un livre, par exemple, on donne la plus grande avance et que, d'abord, comme dans une course, on souhaite, le cœur palpitant, qu'il atteigne son but. Par ce procédé, *on pénètre en effet la chose jusqu'au cœur, jusqu'à son point émouvant*, et c'est justement ce qui s'appelle apprendre à connaître. »

Rien de plus juste, rien de plus certain ; il faut toujours, d'abord, être sympathique. La sympathie est la clef par laquelle on entre. Mais Nietzsche ajoute tout de suite : « Une fois là, le raisonnement fait après coup ses restrictions. Cette estime trop haute, *cette suspension momentanée* du pendule critique n'était qu'un artifice pour prendre à la pipée l'âme d'une chose. »

Il faut donc être un lecteur armé, qui désarme par méthode et pour comprendre, qui reprend ses armes pour discuter, qui désarme enfin de nouveau quand l'examen critique lui a prouvé qu'il est en face d'une chose dont la vérité ou la beauté est indiscutable.

Mais, tout compte fait, il faut être un lecteur critique, ayant, seulement, les méthodes de la critique juste, dans tous les sens de ce mot. La contre-épreuve de ceci, c'est l'esprit critique chez l'auteur lui-même. L'auteur doit avoir l'esprit critique, et il doit l'exercer tout juste avec les méthodes et les démarches mêmes que nous venons de voir que doit observer le lecteur. C'est ici, ce me semble bien, que Nietzsche a erré. Il paraît croire que l'artiste ne doit pas du tout être critique de lui-même. «... c'est ce qui distingue l'artiste du profane qui est réceptif. Celui-ci atteint les points culminants de sa faculté d'émotion en recevant ; celui-là, en donnant ; en sorte qu'un antagonisme entre ces deux prédispositions est non seulement naturel, mais encore désirable. Chacun de ces états possède une optique contraire à l'autre. Exiger de l'artiste qu'il s'exerce à l'optique du spectateur, du critique, c'est exiger qu'il appauvrisse sa puissance créatrice. Il en est de cela comme de la différence des sexes : il ne faut pas demander à l'artiste qui donne, de devenir femme, de recevoir. Notre esthétique fut jusqu'à présent une esthétique de femme, en ce sens que ce sont seulement les hommes réceptifs à l'art qui ont formulé leurs expériences au sujet de ce qui est beau. Il y a là, comme l'indique ce qui précède, une erreur nécessaire. Celle de l'artiste, car l'artiste qui comprendrait se méprendrait, il n'a pas à regarder en arrière ; il n'a pas à regarder du tout ; il doit donner. C'est à l'honneur de l'artiste qu'il soit incapable de critiquer. Autrement il n'est ni chair ni poisson, il est *moderne*. » Par « modernes », Nietzsche entend ces artistes qui précisément, sont très intelligents, sont très critiques, raisonnent de leur art, surveillent leur art et font exactement ce qu'ils veulent faire. Le type, pour moi, en est Virgile ou Racine. Le type, pour Nietzsche, en est Euripide, non sans raison, ou Lessing, et il dit sur eux avec une singulière pénétration : « Euripide se sentait, certes, en tant que poète supérieur à la foule mais non pas à deux de ses spectateurs... D'eux seuls il écoutait la valable sentence portée sur son ouvrage, ou la réconfortante promesse de victoires futures lorsqu'il se voyait encore une fois condamné par le tribunal du public. De ces deux spectateurs, l'un est Euripide lui-même, Euripide en tant que penseur et non pas en tant que poète. On pourrait dire de lui que, à peu près comme chez Lessing, l'extraordinaire puissance de son sens critique, a sinon produit, au moins fécondé sans cesse une activité créatrice, artistique, parallèle. Doué de cette faculté, il s'était assis dans le théâtre et avait étudié ses grands devanciers... Et il y trouve de l'énigmatique et du mystère... Même dans le langage de l'ancienne tragédie, il y avait pour lui beaucoup de choses choquantes, tout au moins inexplicables... C'est ainsi qu'assis dans le théâtre, il réfléchissait longuement, inquiet et troublé, et il dut s'avouer, lui, le spectateur, qu'il ne comprenait pas ses grands devanciers... Dans cette angoisse, il rencontra l'autre spectateur (Socrate) qui ne comprenait pas la tragédie et pour ce motif la méprisait. Délivré de son isolement en s'alliant à celui-ci, il put oser entreprendre une guerre monstrueuse contre les œuvres d'art d'Eschyle, de Sophocle, et cela non par des ouvrages de polémique, mais par ses œuvres de poète dramatique opposant sa conception de la tragédie à celle de la tradition. »

Voilà donc le poète conscient, le poète qui *comprend*, le poète qui analyse, le poète qui est mêlé d'un critique et qui fera exactement ce qu'il aura voulu faire. Nietzsche ne l'aime pas, sans doute, Nietzsche ne le voit pas comme type du grand poète, lequel est tout instinct et ne doit pas regarder en arrière et ne doit rien regarder du tout ; mais cependant il l'admet, et il va jusqu'à dire que son extraordinaire puissance de sens critique a, sinon produit, du moins *fécondé* sa faculté créatrice. Le poète est donc quelquefois mêlé d'un critique dont l'office est d'abord de démêler ce que veut le poète et de l'avertir de ce qu'il veut — « ce que tu veux obscurément, le voici clairement ; tu veux ceci » — dont l'office est ensuite de surveiller le travail de l'artiste et de l'avertir qu'il ne fait pas ce qu'il veut et ce qu'il a voulu.

Le poète est quelquefois mêlé de ce critique-là. Mon opinion est même qu'il l'est toujours. Victor Hugo, qu'on pourrait si bien soupçonner de manquer de sens critique, en a, puisqu'il se corrige et puisqu'il se corrige toujours bien, comme l'étude de ses manuscrits le prouve.

Un poète est un poète uni à un critique d'art et travaillant avec lui.

Mais travaillent-ils ensemble, en même temps ? Point du tout, et c'est cela qui est impossible. Si, dans l'artiste le critique intervenait pendant que l'artiste travaille, c'est alors que seraient absolument vraies les paroles de Nietzsche, « l'artiste appauvrirait sa puissance créatrice », il la dessécherait même et deviendrait incapable de rien produire. Non, quand l'artiste travaille il doit s'abandonner à sa faculté créatrice, il ne doit pas regarder en arrière, ni nulle part, il doit « donner ». Le mot de l'ancienne langue française, « donner », dans le sens de marcher impétueusement en avant, est admirable. Mais plus tard le critique intervient et il juge, et il compare et il raisonne, et il contraint l'artiste à distinguer ce qu'il a fait de ce qu'il a voulu faire, et il l'amène à se corriger et il juge des corrections, et enfin il donne son approbation et même son admiration devant la vérité ou la beauté définitivement atteintes.

Or, s'il en est ainsi, remarquez-vous les coïncidences entre les démarches du lecteur et du poète ? Elles sont identiques. Le lecteur doit s'abandonner d'abord à une sympathie instinctive ou voulue, pour l'auteur ; le poète doit s'abandonner d'abord à son inspiration, à sa verve, à sa foi en lui, à sa sympathie pour lui même en tant qu'artiste ; — le lecteur doit ensuite se faire critique, raisonner, comparer, juger, discuter ; l'auteur doit ensuite se faire critique, réveiller le critique qui est en lui, examiner, comparer, raisonner, discuter, juger ; — le lecteur doit enfin admirer, s'il y a lieu, ce qui a comme passé successivement par sa sympathie et par sa critique ; l'auteur doit enfin approuver et même admirer, s'il y a lieu, ce qu'il a conçu dans la foi et dans l'amour, ce qu'il a contrôlé et redressé ensuite à l'aide de son sens critique.

Foi, critique, admiration, il y a trois phases, *qui sont les mêmes* que, et le lecteur et le poète, doivent traverser successivement pour arriver, l'un à la pleine admiration, l'autre à la pleine réalisation du vrai ou du beau.

Si tout cela est vrai, ne l'est-il pas que *la critique est toujours là quand il s'agit d'œuvre d'art*, tant pour prendre possession du beau que pour le créer, qu'il faut que le lecteur soit critique puisqu'il faut que l'auteur le soit, et qu'il faut que le poète le soit puisque le lecteur doit l'être ? Et si l'auteur doit l'être lui-même, ce que Nietzsche lui-même avoue, n'est-il pas vrai à plus forte raison qu'il faut que le lecteur le soit pour son plus grand plaisir, qui est l'admiration intelligente, l'admiration consciente, l'admiration qui sait pourquoi elle admire ?

Donc, que devient le mot de La Bruyère ? Il est absolument faux !

Ainsi parlera un homme qui prendra le mot « critique » dans le sens où tout le monde le prend aujourd'hui.

Seulement il est infiniment probable que La Bruyère lui-même ne l'a pas pris du tout dans ce sens. De son temps, « esprit critique » signifiait le plus souvent esprit de dénigrement, ou tout au moins esprit de mécontentement. Quand Boileau dit : « Gardez-vous, dira l'un, de cet esprit critique », il veut dire, on le sent assez : gardez-vous de cet épigrammatiste. La Fontaine, dans sa fable *Contre ceux qui ont le goût difficile*, emploie le mot critique dans le même sens ; Molière de même : « un cagot de critique... car il contrôle tout ce critique zélé ». — Dès lors, si La Bruyère l'emploie dans ce sens, ce que l'on voit qui est probable, La Bruyère a raison. Ce qui empêche de jouir des belles choses, c'est l'envie de les trouver mauvaises ; il n'y a rien de plus incontestable.

Cette envie est très naturelle. En dehors même de cette impatience des supériorités dont j'ai parlé plus haut, l'instinct de taquinerie est une des formes de l'instinct querelleur, qui est extrêmement fort dans l'humanité. Je ne suis pas tout à fait de l'avis de Voltaire sur ce point. En quittant Pococurante, Candide dit à Martin : « Voilà le plus heureux de tous les hommes ; car il est au-dessus de tout ce qu'il possède. — Ne voyez-vous pas, dit Martin, qu'il est dégoûté de tout ce qu'il possède ? Platon a dit, il y a longtemps, que les meilleurs estomacs ne sont pas ceux qui rebutent tous les aliments. — Mais, dit Candide, n'y a-t-il pas du plaisir à tout critiquer, à sentir des défauts là où les autres hommes croient voir des beautés ? — C'est-à-dire, reprit Martin, qu'il y a du plaisir à n'avoir pas de plaisir ? »

Au fond, je suis très bien de l'avis de Martin. Cependant il avait tort de croire absolument qu'il n'y a pas de plaisir à n'avoir pas de plaisir. Il y en a. Il y a précisément la jouissance qu'on éprouve à n'être de l'avis de personne. D'abord, c'est une attestation de supériorité que l'on se donne. « Que d'autres admirent tel ouvrage ; c'est affaire à eux ; c'est bien pour eux qu'il est écrit ; ils sont à sa hauteur, parce qu'il est à leur niveau. Mais moi… »

Je me rappelle encore de quel air un de mes amis, voyant *la Dame aux Camélias* affichée, me désignait l'affiche du bout de sa canne et me disait : « C'est beau, cette pièce-là ! ». Cela voulait dire : « Je suis parfaitement sûr que tu es assez philistin pour trouver cela beau ? » Or croyez-vous que cet homme ne jouissait pas ? Il jouissait de toute son âme.

Ensuite, c'est le plaisir d'offenser, de provoquer, c'est l'instinct de lutte. On connaît assez l'homme qui en politique est toujours de l'opposition. C'est un homme qui n'aime pas à approuver, et qui n'aime pas à approuver parce qu'il aime la dispute, la contradiction, la provocation, le défi, le regard hostile cherchant le regard hostile. Le mécontentement, c'est le désir de mécontenter. Le pococurante en littérature est un mécontent qui veut surtout qu'on soit, autour de lui, mécontent de son mécontentement. Maint homme est heureux de voir autour de lui des visages renfrognés et qui le sont parce qu'il a voulu qu'ils le soient. C'est une volonté de puissance.

Et enfin, peut-être surtout, le pococurantisme est un désir de se rendre témoignage à soi-même *que l'on n'est pas dupe*. De même que l'honnête homme est satisfait d'avoir vu clair dans le manège d'un charlatan et de n'être pas tombé dans ses pièges, de même le pococurante considère les artistes, les auteurs, les poètes et les jolies femmes comme des thaumaturges et faiseurs de prestiges qui empaument adroitement l'humanité. L'humanité soit, mais non pas lui. On n'a pas raison de lui si facilement. Il sait se défendre ; il n'a même pas besoin de se défendre ; il est inaccessible ; il voit clair dans le jeu et on ne lui en donne pas à garder. La satisfaction de n'être pas dupe se mesure à l'horreur que l'on a de l'être et cette horreur est infinie chez quelques hommes.

La Bruyère a très bien indiqué pourquoi l'on a honte de pleurer au théâtre, tandis que l'on n'a point honte d'y rire : « Est-ce une peine que l'on sent à laisser voir que l'on est tendre, et à marquer quelque faiblesse surtout en un sujet faux et dont il semble *que l'on soit là dupe* ? » Assurément c'est cela, tandis que, pour ce qui est de rire, on s'y laisse aller plus facilement parce qu'on est moins dupe et l'on fait moins figure de dupe en riant qu'en pleurant, le rire vous laissant toute liberté d'esprit et les pleurs marquant qu'on l'a perdue, et qu'on est pénétré jusqu'au fond et possédé par le sujet et par l'auteur.

Encore l'on sait fort bien que les esprits « forts » et les esprits « délicats » ne rient pas plus qu'ils ne pleurent et, quand il y a matière à hilarité, se contentent de sourire, rire à gorge déployée n'étant *pas beaucoup moins que pleurer* signe que l'on est conquis et en possession de l'auteur.

Tout de même, ou à peu près tout de même, admirer, c'est avouer que l'on est ébloui, fasciné, étourdi par le talent, l'habileté, l'adresse, la rouerie d'un auteur. On n'aime pas beaucoup avouer cela.

Voilà au moins quelques éléments de cet esprit critique dont parle La Bruyère et entendu comme il l'entend.

Or Martin a-t-il bien raison quand il dit : « le plaisir de s'empêcher d'avoir du plaisir » ? Non pas tout à fait ; car le pococurante ne s'empêche point d'avoir du plaisir ; il va bel et bien en chercher où il peut en trouver. Il se refuse le plaisir de l'admiration, sans doute, mais pour s'en donner un plus aigu et plus pénétrant qui est de se contempler n'admirant point et de se féliciter de n'admirer pas. N'en doutez point, Martin, c'est toujours son plaisir qu'on cherche et c'est-à-dire une activité psychique conforme au caractère que l'on a.

Mais si l'on a comme le choix, si, avec des penchants, comme tous les hommes, à l'orgueil, à la taquinerie, à la dispute, au désir de se distinguer, à l'horreur d'être dupe, on en a aussi à l'admiration ou simplement au plaisir de goûter les belles choses, il vaut certainement mieux incliner de ce dernier côté et, si vous êtes ainsi partagé, je vous dirai : Considérez le « plaisir de la critique » comme le plus grand ennemi et le plus dangereux de la lecture et faites-lui bonne guerre. Le « plaisir de la critique », dans le sens où l'entend La Bruyère, est juste aussi funeste à la lecture que l'esprit critique dans le sens moderne du mot lui est utile.

Amour-propre, passions diverses, timidité, esprit de mécontentement, tels sont les principaux ennemis de la lecture, à ne compter que ceux que nous portons en nous. On voit qu'ils sont nombreux, et l'on a vu qu'ils sont assez terribles. Il faut se tenir en garde contre eux, si l'on ne veut pas se préparer une vieillesse triste, puisque les livres sont nos derniers amis, et qui ne nous trompent pas, et qui ne nous reprochent pas de vieillir.

CHAPITRE IX

La lecture des critiques

Il y a une grande question. Faut-il lire, concurremment avec les bons auteurs, ceux qui ont parlé d'eux ou qui en parlent ? Faut-il lire les critiques ?

J'en suis très modérément d'avis, mais j'en suis d'avis.

Qu'est-ce qu'un critique ? C'est un ami qui cause avec vous de vos lectures, faisant les mêmes ou ayant fait les mêmes. Or, ce personnage est-il inutile, est-il odieux ? Non, sans doute ; dans la vie domestique vous le recherchez. Vous sentez qu'il vous fait réfléchir, qu'il renouvelle en vous vos sensations et impressions de lecteur, qu'il éveille en vous des curiosités de lecteur, qu'en épousant ou en contrariant vos jugements, il fait que vous les révisez, à quoi sans doute votre goût s'exerce et s'affine ; qu'en vous dirigeant du côté de nouvelles lectures, il vous ouvre des pays nouveaux auxquels vous songiez vaguement, ou ne songiez point, et qui peuvent être d'une grande beauté ou d'une étrangeté captivante.

Enfin vous êtes content de l'ami qui cause avec vous de vos lectures et des siennes. Il est quelquefois cassant ; il est quelquefois un peu trop admiratif et ami de tout le monde ; il est quelquefois, à votre goût, trop tourné du côté du passé ou au contraire trop attiré vers les nouveautés, et homme qui découvre tous les matins un nouveau chef-d'œuvre, ce qui lui fait oublier celui qu'il a découvert hier ; il est quelquefois l'homme qui n'a que de la mémoire et qui cite presque sans choix, et vous le trouvez monotone ; il est quelquefois l'homme qui, en parlant des autres, songe surtout à lui et qui, dans l'esprit des auteurs, ne trouve presque qu'une occasion de faire admirer celui qu'il a ; mais quels que soient ses défauts vous l'aimez toujours un peu : le lecteur aime celui qui lit et qui lui parle de lectures, et en vient même, par besoin de confidences intellectuelles à faire et à recevoir, à ne pouvoir plus se passer de lui.

Eh bien ! le critique est précisément cet ami que vous avez et, si vous n'en avez pas, il le remplace.

Vous n'avez pas tort d'aimer le critique.

Mais, et c'est ici que la question se pose dans ses vrais termes, *quand* faut-il lire les critiques ? À quel moment ? Le critique qui parle de Corneille, avant d'avoir lu Corneille lui-même, ou après que vous aurez lu Corneille ? Voilà le point.

J'ai souvent dit : un critique est un homme qui sert à vous faire lire un auteur à un certain point de vue et dans certaines dispositions d'esprit qu'il vous donne. Si cela est vrai, prenons garde ! Est-ce qu'il se faudrait pas... ne point lire le critique du tout ?

Il semble bien ; car enfin ce qui m'importe à moi lecteur (et en vérité, c'est mon devoir) c'est d'avoir une impression personnelle, c'est d'avoir une impression bien à moi, c'est d'être ému par Corneille très personnellement et non pas d'être ému par Corneille selon l'impression d'un autre. Ce point de vue où le critique m'aura mis, c'est le sien ; cette disposition d'esprit où il m'aura mis, c'est la sienne. De sorte que lire le critique avant l'auteur, c'est m'empêcher de comprendre l'auteur moi-même ; c'est me forcer à ne l'entendre que d'une oreille préparée et presque formée par un autre ; c'est bien travailler à me mettre dans l'impossibilité d'être touché directement, et c'est-à-dire c'est bien travailler à me rendre incapable de jouissance. Voilà vraiment un beau profit !

Ajoutez qu'une certaine paresse aidant, ou, si vous voulez, la loi du moindre effort, je me contenterai bientôt de savoir ce que pensent des auteurs les critiques les plus autorisés, sans jamais lire les auteurs eux-mêmes ; d'abord, parce que — si l'on sait choisir ses critiques — c'est plus court ; ensuite, parce que même les critiques prolixes ont débrouillé la matière et me donnent, par les citations qu'ils font de leur auteur, le meilleur, évidemment, de cet auteur-là, ce qui peut me suffire ; ensuite et surtout parce que, devant, quand je lirai l'auteur après le critique, subir l'influence de celui-ci et lire dans la disposition d'esprit où il m'aura mis ; si je dois, l'auteur lu après le critique, avoir la même impression que le critique seul étant lu, j'épargne du temps en lisant le critique seul.

Et c'est ainsi que Renan a très bien dit qu'un temps viendrait où la lecture des auteurs serait remplacée par celle des historiens littéraires. Il avait même l'air de n'être pas fâché en disant cela.

Il y a beaucoup de vrai dans ces observations et, je le dirai en passant, c'est bien pour cela que moi, très partisan de la lecture des auteurs eux-mêmes, j'ai souvent applaudi de tout mon cœur aux critiques prolixes. « Comment ! Celui-ci écrit deux volumes sur la *Princesse de Clèves* ; celui-ci cinq volumes sur Jean-Jacques Rousseau ! Tant mieux !

— Comment ? tant mieux ?

— Sans doute ! Le lecteur trouvera plus court de lire Rousseau lui-même ! »

Cependant il faut s'entendre. Distinguons d'abord entre l'historien littéraire et le critique proprement dit.

L'historien littéraire doit être aussi impersonnel qu'il peut l'être ; il devrait l'être absolument. Il ne doit que renseigner. Il n'a pas à dire quelle impression a faite sur lui tel auteur ; il n'a à dire que celle qu'il a faite sur ses contemporains. Il doit indiquer l'esprit général d'un temps d'après tout ce qu'il sait d'histoire proprement dite ; l'esprit littéraire et artistique d'un temps, ce qui est déjà un peu différent, d'après tout ce qu'il sait d'histoire littéraire et de l'histoire même de l'art ; mesurer, ce qui du reste est impossible, mais c'est pour cela que c'est intéressant, les influences qui ont pu agir sur un auteur ; s'inquiéter de la formation de son esprit d'après les lectures qu'on peut savoir qu'il a faites, d'après sa correspondance, d'après les rapports que ses contemporains ont faits de lui ; s'enquérir des circonstances générales, nationales, locales, domestiques, personnelles dans lesquelles il a écrit tel de ses ouvrages et puis tel autre ; chercher, ce qui est encore une manière de le définir, l'influence que lui-même a exercée et c'est-à-dire à qui il a plu, les répulsions qu'il a excitées et c'est-à-dire à qui il a déplu. Ce n'est là qu'une très petite partie du travail de l'historien littéraire, mais cela en donne une idée suffisante.

Ce qu'il ne doit pas faire, c'est juger, ni dogmatiquement, à savoir d'après des principes, ni, non plus, *impressionnellement*, à savoir d'après les émotions qu'il a eues. Il est trop clair qu'en ce faisant, il sortirait complètement de son rôle d'historien. Il ferait de l'histoire littéraire, comme on faisait de l'histoire proprement dite au XVIe ou encore au XVIIe siècle, quand l'historien jugeait les rois et les grands personnages de l'histoire, les louait ou les blâmait, se révoltait contre eux comme eût fait une province ou les couvrait de fleurs comme à une entrée de ville ; enfin dirigeait l'histoire tout entière et l'inclinait à être une prédication morale.

L'historien littéraire ne doit pas plus en user ainsi que l'historien politique. Il ne doit connaître et faire connaître que des faits et des rapports entre les faits. Le lecteur ne doit savoir ni comment il juge ni s'il juge ; ni comment il sent, ni s'il sent. Le critique, au contraire, commence où l'historien littéraire finit, ou plutôt il est sur un tout autre plan géométrique que l'historien littéraire. À lui, ce qu'on demande, au contraire, c'est sa pensée sur un auteur ou sur un ouvrage, sa pensée, soit qu'elle soit faite de principes ou qu'elle le soit d'émotions ; ce qu'on lui demande, ce n'est pas une carte du pays, ce sont des impressions de voyage ; ce qu'on lui dit, c'est : « Vous vous êtes rencontré avec M. Corneille ; quel effet a-t-il fait sur vous ? Est-il entré dans vos idées générales sur la littérature et sur l'art d'écrire, ou les a-t-il contrariées, et par conséquent l'avez-vous hautement approuvé ou condamné sévèrement ? Si vous êtes plutôt et surtout ou même uniquement un homme de sentiment, de sensibilité, d'émotion, quelles émotions M. Corneille a-t-il excitées en vous, de quelle manière votre âme a-t-elle réagi, délicieusement ou douloureusement, ou faiblement, à rencontrer la sienne ; qu'est devenue votre sensibilité dans le commerce ou au contact de M. Corneille ?

— Mais vous m'interrogez autant, au moins, sur moi que sur Corneille ?

— *Certainement* ! »

Voilà ce qu'est le critique. Peu s'en faut qu'il ne soit le contraire même de l'historien littéraire ; tout au moins ils sont si différents que ce qu'on demande à l'un, et légitimement, c'est ce qu'on ne demande pas et ce qu'on ne doit pas demander à l'autre, et la converse est vraie.

Il a fallu insister sur ce point, parce qu'il n'y a pas si longtemps qu'on a compris la grande différence qu'il y a entre l'historien littéraire et le critique ; parce que, jusqu'aux dernières années du dernier siècle, les historiens littéraires croyaient avoir mission de critique et réciproquement ; parce que telle histoire de la littérature française, celle de Nisard, est tout entière œuvre de critique et comme histoire littéraire n'existe pas, de telle sorte que l'auteur n'a rien fait de ce qu'il devait faire et a fait tout le temps, et du reste d'une manière admirable, ce qu'il devait ne pas faire du tout ; si bien encore que son livre, absolument manqué comme histoire littéraire, reste tout entier debout comme recueil de morceaux de critique.

Or, cette distinction étant faite et si vous l'admettez, revenons à notre question : quand faut-il lire le critique ?

Cela dépend précisément de la question de savoir s'il est historien littéraire, d'après la définition que nous avons donné de l'historien littéraire, ou s'il est critique, selon la définition que nous avons donnée du critique. S'il est historien littéraire, il faut le lire avant de lire l'auteur, et s'il est critique, il ne faut *jamais* le lire avant. S'il est historien littéraire, il vous donnera tous les renseignements qui vous sont utiles, et dont quelques-uns vous sont indispensables sur le monde où vivait l'auteur, sur les hommes pour qui il a parlé, sur tout ce qui (son génie mis à part) l'a fait ce qu'il a été ; il vous introduira ainsi chez lui ; il vous fournira toutes les informations sans lesquelles vous ne comprendriez de lui à très peu près rien. Il est donc prouvé qu'il faut lire l'historien littéraire avant l'auteur à qui vous voulez vous attacher. L'introduction à l'intelligence de Corneille, c'est l'histoire du temps de Corneille, toute l'histoire du temps de Corneille et particulièrement l'histoire de la littérature française de 1600 à 1660.

Pour le critique, c'est très différent. Il est très vrai que, si vous le lisez avant l'auteur avec qui vous désirez lier commerce, il vous nuira beaucoup plus qu'il ne vous rendra des services. Vous ne pourrez pas, en lisant l'auteur, ou vous pourrez difficilement, vous débarrasser du point de vue du critique pour recevoir l'impression directe ; le critique sera comme un écran entre l'auteur et vous. Vous désiriez savoir quel effet ferait sur vous Montaigne, et vous ne savez pas si ce qui vous vient à l'esprit, en lisant Montaigne, vous vient en effet de Montaigne ou de Nisard ; vous vouliez connaître votre sensibilité modifiée par Montaigne ; vous connaissez une modification faite peut-être par Montaigne, mais préparée par Nisard ; vous connaissez quelque chose en vous qui est de Montaigne, de Nisard et de vous-même ; il y a un terme de trop ; ce n'est pas lire Montaigne que de le lire à travers Nisard, que de le lire en y cherchant instinctivement, et en y trouvant forcément, moins les pensées de Montaigne que les pensées que Montaigne a inspirées à Nisard ; et pour lire Montaigne vraiment, ce qui s'appelle lire, il faudrait d'abord que vous missiez Nisard en total oubli.

S'il est ainsi, il va de soi qu'il ne fallait pas commencer par lire le critique.

— Alors, lisons l'historien littéraire avant et le critique jamais !

— Pourquoi ? Lisons l'historien littéraire avant et le critique après. Après, c'est trop tard ? Non point. Le critique doit inviter à relire ou à repenser sa lecture. Voilà le vrai rôle du critique. Le critique prépare non pas, comme je l'ai dit d'abord, à lire dans une certaine disposition et à un certain point de vue : en quoi il serait nuisible ; il prépare à relire à un certain point de vue et dans une certaine disposition d'esprit, en quoi il est utile.

Reprenons l'exemple, donné plus haut, de l'ami avec qui vous causez littérature. Vous avez lu le dernier roman ; il vous a laissé telle impression ; vous rencontrez l'ami ; il l'a lu, lui aussi ; le livre lui à laissé une impression très différente ; vous discutez, vous donnez vos raisons, il donne les siennes, vous rapportez tel détail qu'il n'a pas vu, il vous indique telle particularité qui vous est échappée ; vous rentrez chez vous ; vous ne songez guère qu'à relire le volume, tout au moins à le repasser en revue dans votre mémoire ; d'une façon ou d'une autre, vous le relisez, vous le revoyez sous un nouvel angle. C'est votre ami qui en est cause. Voilà le rôle du critique, et voilà le cas où le critique ne peut pas être nuisible, fût-il mauvais, puisqu'il ne fait que provoquer une révision ; et peut être très utile parce qu'il la provoque.

J'ai vécu pendant quelques années dans une société d'hommes très intelligents, très lettrés, de beaucoup de goût, très décisionnaires aussi, qui parlaient sans cesse des ouvrages nouveaux. Je les avais presque toujours lus avant qu'ils n'en parlassent et j'écoutais ces messieurs avec un très vif intérêt. Leurs décisions un peu tranchantes et leurs aperçus, extrêmement inattendus de moi, m'étonnaient et me donnaient beaucoup à penser. Je rentrais chez moi toujours avec le véritable besoin de relire le livre dont ils avaient parlé et de comparer mes impressions aux leurs. C'était un très grand profit ; je n'étais pas toujours, après révision, de leur avis ; je n'en étais même jamais ; mais j'avais relu avec un esprit nouveau, et c'est cela qui est important. Je leur dois beaucoup.

Au bout d'un certain temps, à la vérité, ils cessèrent de m'être utiles, parce que je m'aperçus que de tous les livres dont ils parlaient, ils n'avaient jamais lu une page, ce qui m'expliqua la netteté de leurs décisions et l'originalité de leurs aperçus. Ils n'avaient pas lu, ils avaient des idées générales, ils avaient des idées préconçues, ils jugeaient de haut et sans réplique : ils remplissaient la définition du grand critique.

Mais remarquez : si à toutes leurs qualités ils avaient ajouté la faiblesse de lire les livres dont ils devaient parler, leurs décisions eussent été moins tranchantes et leurs considérations moins originales ; ils eussent été des critiques de moyen ordre ; mais leur influence sur moi eût été la même et même se serait prolongée plus longtemps ; j'aurais relu, après leurs conversations, avec un esprit nouveau.

C'est le bienfait du critique. Le critique est cause que le lecteur fait des lectures méditées après avoir fait des lectures abandonnées ; le critique est cause que le lecteur fait des lectures dans un champ plus vaste de pensées ; le critique est cause que le lecteur, après avoir lu l'auteur tête-à-tête, le lit à trois ou à quatre ; il ne faudrait pas étendre indéfiniment ce cercle et comme multiplier l'auditoire autour de l'auteur ; mais il faut, au bon moment, rompre le tête-à-tête.

Car il durerait. L'auteur que vous avez lu personnellement, si vous me permettez de parler ainsi, l'auteur que vous avez lu personnellement, ce qu'il fallait faire en effet, si vous le relisez sans consultation, vous retrouvez en le relisant, toutes les mêmes impressions que vous avez eues à une première lecture ; elles ont laissé leurs « traces », comme dit Malebranche ; vous creusez fatalement dans le même sillon.

Il faut qu'à un moment donné — lequel ? celui-là même où vous vous apercevez de la monotonie de vos sensations — vous vous avisiez de vous demander : « Qu'en pense un tel ? » Quand vous saurez ce qu'en pense un tel, vous serez préparé pour un nouveau voyage ; non, pour le même, mais avec une autre façon de voir. Les médecins appellent un confrère en consultation, non parce qu'ils se défient d'eux-mêmes, non parce qu'ils croient que leur confrère est plus habile qu'eux ; ils ne le croient jamais ; mais par crainte de persévérer dans un diagnostic faux, à cause de l'influence que garde sur nous une première impression ou une première idée. Ils changent d'air.

Donc ne jamais lire le critique d'un auteur avant l'auteur lui-même ; ne jamais relire un auteur qu'après avoir lu un ou plusieurs critiques de cet auteur, voilà, je crois, la bonne méthode de lecture et de *relecture*.

D'autre part, lire l'historien littéraire avant l'auteur est à peu près indispensable ; mais il ne l'est plus de lire l'historien littéraire après avoir lu l'auteur ; ce n'est plus qu'un peu utile, quelquefois, selon les cas, pour vérifier telle concordance, le plus souvent pour se rappeler tel renseignement, donné par l'historien, que l'on sent qui nous fuit.

Un petit inconvénient à cela, au temps actuel, c'est que jusqu'à présent tous les historiens littéraires, sans exception, je crois, ont prétendu être en même temps critiques, critiques dans leurs livres d'histoire eux-mêmes, et que, par conséquent, si on les lit, comme on le doit, avant de lire l'auteur, le mauvais effet que produit le critique lu avant l'auteur, ils le produisent.

Il est vrai, l'inconvénient est assez grave. Il cessera. Les historiens littéraires s'accoutumeront à n'être que des historiens, comme les critiques à n'être que des critiques ; ou plutôt l'historien littéraire s'accoutumera à n'être qu'historien littéraire dans un livre d'histoire et à n'être que critique dans un livre de critique ; ils s'y accoutument déjà, et ils font en cela le mieux du monde.

Une question reste, assez grave. S'il en est comme j'ai dit, comment faut-il, dans l'enseignement, user des critiques ? Il faut, à mon avis, mettre entre les mains des écoliers les historiens littéraires, ceux des historiens littéraires qui ne font pas de critique — puisque tous en font, ceux, jusqu'à nouvel ordre, qui en font le moins — et les leur faire lire avant les auteurs ; ou il faut faire aux écoliers un cours d'histoire littéraire, comme on leur fait un cours d'histoire et les prier de ne lire que les auteurs dont, dans ce cours d'histoire littéraire, il leur aura déjà été parlé.

Les choses s'arrangeront, du reste, assez bien d'elles-mêmes, puisque le cours d'histoire littéraire invitera l'enfant à lire tel ou tel auteur dont le nom l'aura frappé dans le cours. Je parle de la majorité des enfants qui, même en France, est assez docile.

Quelques-uns seront, au contraire, incités par le cours à lire les auteurs dont il n'aura pas été parlé ou pas encore. Ma curiosité ayant été éveillée, en rhétorique, par le devoir français d'un de mes camarades que je ne connaissais pas autrement, parce qu'il était d'une autre pension que moi, j'allai à lui, quelque temps après, et je lui demandai ce qu'il faisait : « Depuis quelque temps, me dit-il, je m'occupe beaucoup de philosophie. » Il s'occupa sans doute des littérateurs latins et français l'année suivante.

Mais la majorité des écoliers lira naturellement les auteurs vers lesquels le cours d'histoire littéraire ou les historiens littéraires mis entre leurs mains auront dirigé leur attention.

— Mais les critiques proprement dits ?

— Rien ne m'embarrasse comme cette question. Du temps où j'ai fait mes études, on ne mettait entre nos mains aucun critique. Je n'ai lu Sainte-Beuve qu'à vingt-trois ans. On nous donnait des histoires littéraires, qui, à la vérité, je l'ai assez dit, étaient mêlés de critiques, mais qui, après tout, étaient surtout des histoires littéraires. Le professeur, quand il nous donnait un devoir à faire, les complétait par quelques renseignements se rapportant au devoir en question. Il nous traçait, par exemple, deux petits portraits de Sadolet et d'Érasme quand il nous donnait à confectionner une lettre d'Érasme à Sadolet. Voilà tout. Nous n'avions pas, bien entendu, ni de Sadolet, ni d'Érasme lu un mot. Que pouvait être notre devoir ? Quelques lieux communs de morale ou de littérature, historiés de quelques particularités anecdotiques, précieusement recueillies de la bouche de notre professeur.

C'était très vide. Nos « discours historiques » l'étaient un peu moins ; car encore nous savions un peu plus d'histoire proprement dite que d'histoire littéraire ; nous n'avions pas lu Érasme ; mais nous connaissions un peu Henri IV, Louis XIV, Turenne et Condé.

On reconnut, vers 1880, l'inanité de cette méthode et de ses résultats ; on mit entre les mains des écoliers des critiques ; on leur fit des cours de littérature très mêlés et même chargés de critique ; on leur fit faire des dissertations sur le stoïcisme dans Montaigne et l'atticisme dans Molière ; — et alors ce fut bien pis.

Ce fut pis, parce que les enfants, incapables d'avoir assez lu Montaigne et Molière et de les avoir assez lus en critiques pour avoir des idées personnelles, des idées bien à eux sur le tour d'esprit particulier de Molière et de Montaigne, ne mettaient dans leurs devoirs que des lambeaux, quelquefois un peu démarqués, de Sainte-Beuve, de Brunetière, de Lintilhac. L'affligeante stérilité de ces exercices ne le cédait en rien à l'affligeante puérilité des exercices de 1865, si tant est qu'elle ne fût pas, au moins, plus éclatante aux yeux.

Que faire donc ? Énergiquement, doctoralement, quelques-uns disent : « Ne jamais demander à l'enfant que sa pensée personnelle, que l'impression qu'il a reçue et dont il a dû, seulement, se rendre compte, dont il a dû, seulement, prendre possession, en lisant *les Femmes savantes*, *Britannicus* ou *l'Art de conférer*. Cultiver la personnalité, au lieu de l'étouffer sous celles d'autrui, au lieu de la forcer à abdiquer pour faire place à une personnalité d'emprunt : voilà, voilà ce qu'il y a à faire et rien autre. »

Certes, j'en suis d'avis et de toute mon âme. Seulement, c'est tellement restreindre le champ des exercices scolaires qu'il se réduirait à presque rien. Cela revient à ceci : ne dites rien à l'élève sur le *Cid*, ne lui laissez rien lire sur le *Cid*, faites-lui lire le *Cid* et puis demandez-lui ce qu'il en pense. Or, l'élève répondra que cela lui a beaucoup plu et que c'est très beau. Soyez sûr que, s'il répond autre chose, c'est qu'il aura triché ; c'est qu'il aura lu quelque Sainte-Beuve ou quelque Lintilhac pour y trouver « des idées ».

Comme fond et sauf quelques traits, quelques observations de détail, que ce sera le devoir du professeur de guetter, d'aviser et de relever avec soin pour en féliciter l'écolier, un devoir scolaire sera toujours un reflet. Ce qui sera de l'enfant, ce sera une composition bien ordonnée, une disposition claire et peut-être déjà adroite des idées, et un style déjà plus ou moins formé, et ce sera toujours sur ces choses qu'il faudra juger un devoir d'enfant. La personnalité, l'originalité, n'y comptez point.

Elles viendront, et chez très peu, chez infiniment peu, beaucoup plus tard. Qui est-ce qui a une personnalité ? Ils sont rares qui en ont une. Presque personne n'est une personne. Et à seize ans, personne n'est une personne. À quelques indices seulement, tel ou tel marque ou fait espérer qu'il en sera une.

Même cette chasse à la personnalité, louable en soi, peut être un défaut chez le professeur. Il y a le professeur qui ne cherche qu'à rapprocher tous ses élèves d'un type convenu de bon sens, de rectitude d'esprit et de bon goût. C'est le professeur ordinaire. Il y aussi le professeur qui, par souci, certes très louable, de chercher la personnalité et de la faire naître, prend, avec une bonne volonté touchante, pour des marques de personnalité hésitante encore et se cherchant, mais pouvant aboutir, de simples signes de bizarrerie, ou de simples boutades d'espiègle. Tel ce professeur, peut-être légendaire, qui était enchanté de l'élève Croulebarbe qui avait fait l'éloge de la Saint-Barthélémy : « Il a tort, je le lui ai dit, il a tort ; mais il est personnel. Eh ! Eh ! Il est personnel ». C'est d'un professeur de ce genre qu'un de ses collègues disait : « Voilà Fliegenfanger qui est encore à la recherche d'un esprit faux ».

Non, il faut se contenter d'un fond de discours qui n'aura d'ordinaire aucune originalité, qui sera d'emprunt plus ou moins adroit, et d'idées plus ou moins bien repensées — et d'une bonne disposition des parties, et d'un style sain, parfois agréable. Voilà tout ce qu'on peut demander à un très bon élève de première.

Dès lors ? Dès lors, je suis à peu près contraint à abandonner, pour ce qui est de l'enseignement, mon grand principe qui est de ne pas lire les critiques avant les textes. J'admets que, concurremment aux textes, pour « faire leurs devoirs », pour se préparer aux examens, pour donner à leurs esprits une culture générale, très superficielle, mais enfin une culture générale, les élèves des lycées lisent les critiques.

Mais, mon principe, je le reprends très vite pour leur dire : au moins pour ce qui est des grands auteurs dont vous avez le temps de lire les œuvres principales, lisez toujours l'auteur d'abord et le critique seulement ensuite, seulement après vous être fait de l'auteur une idée, quelle qu'elle puisse être, qui soit à vous.

De plus, cette habitude de lire presque concurremment, presque pêle-mêle, les textes et les critiques, surtout celle de lire les critiques et non les auteurs, perdez-la totalement, perdez-la énergiquement, dès que vous serez sortis du lycée. Elle est funeste en soi ; elle fait des sots ; elle fait en choses littéraires des hommes tout pareils à ceux qui, en politique récitent, les articles de fond de leur journal ; elle fait des hommes-reflets ; elle fait des hommes qui sont des lunes ; il ne faut pas aspirer à être un soleil mais il ne faut pas non plus être comme la lune.

Il y a deux éducations : la première que l'on reçoit au lycée, la seconde que l'on se donne à soi-même ; la première est indispensable, mais il n'y a que la seconde qui vaille. Dans la première, lisez les critiques à peu près en même temps que les auteurs, encore avec les précautions que j'ai indiquées. Dans la seconde, ne lisez jamais le critique d'un auteur que pour relire l'auteur lui-même ; autrement vous n'entreriez jamais dans la seconde éducation ; vous resteriez toujours dans la première.

CHAPITRE X

Relire

Lire est doux ; relire est — quelquefois — plus doux encore. « À Paris, on ne relit pas, disait Voltaire ; vive la campagne où l'on a le temps ! » Relire est, en effet, une occupation de gens peu occupés. Royer-Collard disait : « À mon âge, on ne lit plus ; on relit. » C'est, en effet, plaisir de vieillard. Il faudrait se persuader que c'est plaisir et profit de tous les âges, et ne pas le réserver exclusivement pour celui où je reconnais qu'il est plus à sa place qu'à tout autre.

Il y a bien des raisons pour relire ; j'en choisis trois qui me viennent plus précisément à l'esprit.

On relit pour mieux comprendre. Ce sont surtout les philosophes, les moralistes, les penseurs, qu'on relit dans ce dessein, et ce n'est pas mal fait ; mais il n'est auteur qu'on ne puisse relire dans cette intention, et il en est qui sont tellement dignes d'être relus qu'on doit les relire pour cet objet. Il n'y a pas d'auteurs plus clairs que La Fontaine, que La Bruyère. J'assure qu'à les relire pour la vingtième fois on trouve des passages que l'on n'avait point compris comme ils devaient l'être, et que l'on entend pour la première fois. À la fois l'on se sait gré de cette découverte, et c'est un plaisir ; et l'on peste un peu de ne l'avoir pas faite plus tôt et c'est un exercice d'humilité qui est très sain.

La découverte n'est pas toujours de détail. Il m'est arrivé, en relisant Jean-Jacques Rousseau d'un peu près, particulièrement dans sa correspondance, de m'apercevoir que Jean-Jacques Rousseau était aristocrate.

Il n'y a rien de plus certain, encore qu'il ait donné leçon de démocratie et de la pire.

Il faut, du reste, quand on relit, surveiller ces repentirs et ne pas se laisser trop aller au plaisir de la découverte et à celui du remords et à la taquinerie envers soi-même qui consiste à se dire qu'on a été précédemment un imbécile. « Vous avez eu tort, me disait un ami, d'avoir présenté Sainte-Beuve comme un positiviste, ou comme un sceptique, ou comme un agnostique. Je l'ai beaucoup relu ; c'est un mystique. » Beaucoup relire Sainte-Beuve pour en arriver à découvrir qu'il est un mystique, c'est certainement un abus de la révision.

Mais encore le plus souvent, presque toujours, quelques précautions prises, on comprend beaucoup mieux un auteur quand on le relit que quand on le lit pour la première fois. Il suffit de se défier un peu de soi et de ne pas lire chez lui seulement ce qu'on y met. Je relis beaucoup ; je crois comprendre beaucoup mieux. C'est une vieillesse qui n'est pas sans charme que celle que l'on consacre à corriger ses vieux contresens.

Le plaisir de mieux comprendre met, du reste, dans l'esprit un certain feu, une certaine chaleur qui excite l'imagination elle-même. On invente un peu à la suite de l'auteur. Soyez sûr que c'est en relisant que M. Jules Lemaître a écrit ses exquis *En marge* et Emile Gebhart, son spirituel *Dernier voyage d'Ulysse*.

On relit encore pour jouir du détail, pour jouir du style. La première lecture est au lecteur ce que l'improvisation est à l'orateur. C'est chose toujours un peu impétueuse ; de tempérament si sain que l'on soit, ou quelque bonne méthode de lecture que l'on ait, on ne peut jamais s'empêcher tout à fait d'être pressé, avec un philosophe de voir quelle est son idée générale et quelles sont ses conclusions, avec un romancier de voir comment cela finit. Détestable précipitation ; mais dont personne n'est absolument exempt.

Comme l'orateur, dans l'épreuve de l'*Officiel* qu'on lui soumet, corrige le style et la langue de son improvisation, à relire nous corrigeons notre improvisation de lecture. Nous faisons attention à la langue, au style, au rythme, aux procédés et artifices de composition et de disposition des idées. Nous étions entrés dans la pensée de l'auteur, nous entrons maintenant dans son laboratoire ; nous le voyons travailler. Si nous voulons travailler nous-mêmes, rien, évidemment, n'est plus utile ; mais, même si nous n'avons pas cette intention, surprendre quelques secrets de l'art est s'affiner singulièrement l'esprit, ce qui est déjà un plaisir, et le rendre capable de mieux, de plus sûrement, de plus finement juger l'auteur que demain nous lirons pour la première fois. Relire apprend l'art de lire.

Les professeurs de littérature sont gens très intelligents, quelques-uns du moins, en choses de lettres. Cela vient de ce que, pour leurs élèves, devant leurs élèves, ils relisent sans cesse. Deux écueils, du reste ici. Charybde et Scylla sont partout. À force de relire et toujours à peu près les mêmes textes, le professeur en arrive quelquefois à y retrouver toujours les mêmes impressions et, quand il y trouve toujours les mêmes impressions, il les retrouve un peu affaiblies ou comme émoussées. Quelquefois aussi, il veut en rencontrer toujours de nouvelles, de toutes nouvelles, et il invente aux auteurs des sens inattendus, ou tout au moins des intentions qu'il n'est pas absolument certain qu'ils aient eues.

Vous n'êtes pas très exposés à l'un de ces dangers ni à l'autre, ne relisant pas autant qu'un professeur est obligé de relire. Il convenait pourtant de vous indiquer ces périls pour que vous ne relisiez pas trop. Prenez garde, quelque beau qu'il soit, au livre qui s'ouvre toujours de lui-même à la même page. Géruzez disait : « Je crains l'homme d'un seul livre, surtout lorsque ce livre est de lui. » Craignez un peu d'être l'homme d'un seul livre, le livre fût-il même d'un autre ; ce n'est qu'une circonstance atténuante.

Et enfin on relit, dessein plus ou moins conscient, pour se comparer à soi-même. « Quel effet ferait sur moi tel livre dont j'ai été féru dans ma jeunesse » est une parole qu'on se dit assez souvent à un certain âge. Revoir les lieux autrefois visités, les amis autrefois fréquentés, les livres lus jadis, est une des passions du déclin. Or, c'est précisément se comparer à soi-même ; c'est éprouver si l'on a toujours autant de facultés de sentir et si l'on a les mêmes.

L'effet de l'expérience n'est pas toujours très consolant, ni très agréable. Les beaux lieux vus autrefois paraissent ordinaires et avoir été surfaits par on ne sait qui. Les vieux amis paraissent un peu ennuyeux. Les beaux livres paraissent un peu décolorés. Pour ce qui est des vieux amis, s'ils paraissent ennuyeux, c'est peut-être qu'ils le sont devenus. Pour les lieux et les livres, ce ne peut pas être cela, et il faut bien que nous nous en prenions à nous-même. « J'admirais cela ! Où avais-je l'esprit ?... Hélas ! Je l'avais où il est ; mais je l'avais plus sensible et plus imaginatif. »

L'impression devant un paysage ou devant un livre dépend de ce qui y est et de ce que l'on y met. Duquel le plus ? On ne sait. De tous les deux, à coup sûr. Or, ce paysage et ce livre ont certainement tout ce qu'ils avaient, moins ce que vous y mettiez et n'y mettez plus. Leur dépréciation mesure la vôtre. Ils sont eux moins vous. Rencontrant une dame qu'il n'avait pas vue depuis très longtemps un homme d'âge hésitait : « Comment ! dit la dame, vous ne me reconnaissez pas ? — Hélas ! madame ; j'ai tant changé ! » C'est précisément ce qu'il faut dire, mais sans méchanceté, et c'est la vérité même, devant un site ou un livre que l'on ne reconnaît plus.

Quand un roman, qui vous arrachait des larmes à vingt ans, ne vous fait plus que sourire, ne vous pressez pas de conclure qu'il est mauvais et que c'est à vingt ans, que vous vous trompiez. Dites seulement qu'il était fait pour votre âge, et que votre âge n'est plus fait pour lui.

J'aimais les romans à vingt ans,
Aujourd'hui je n'ai plus le temps ;
Le bien perdu rend l'homme avare ;
J'y veux voir moins loin mais plus clair :
Je me console de Werther,
Avec la reine de Navarre.

Il n'y a pas lieu de s'en féliciter beaucoup ; mais il est ainsi. Peu de romans lus avec ivresse à vingt ans plaisent à quarante. C'est un peu pour cela qu'il faut les relire, pour se relire, pour se rendre compte de soi, pour s'analyser, pour se connaître par comparaison et pour savoir ce qu'on a perdu.

Non pas toujours ce qu'on a perdu. Il arrive que dans un livre on découvre, au bout de vingt ans, une foule de choses que l'on n'y avait pas entrevues. Cela advient surtout avec les livres philosophiques, avec les livres de pensées. Si je désire vivre encore quelques années, c'est dans l'espérance, bien ambitieuse du reste, de comprendre quelque chose à tel philosophe contemporain qui m'est fermé, et je veux dire à qui je suis fermé moi-même. Les penseurs incompris jadis se révèlent quelquefois brusquement. On dirait qu'on a trouvé une clef dans son esprit. C'est vrai. L'intelligence s'est fortifiée, ou, seulement enrichie, et dans Ergaste la clef a été trouvée qui nous ouvre Clitandre. Cette fois, la surprise nous est agréable ; nous nous trouvons plus forts et mieux armés ; les années nous ont raffermi. Elles nous deviennent chères, et nous leur sommes reconnaissants.

Mais ce n'est pas seulement chez les philosophes qu'il arrive que nous fassions des découvertes de ce genre et que nous récoltions regain de cette sorte. Chez les romanciers, chez les poètes, nous avons assez souvent de ces révélations tardives. L'émotion sentimentale est toujours moindre, l'émotion artistique est quelquefois beaucoup plus forte. On s'aperçoit, au bout de vingt ans, de trente ans, de quarante ans, qu'il y a des qualités de style qu'on n'avait pas aperçues, des qualités de composition dont on ne s'était point douté, parce que, du temps de la première lecture, on ignorait l'art. À propos d'un *Werther* en musique, il y a quelques années, averti par les observations de plusieurs critiques éminents de l'insignifiance et de la puérilité du *Werther* de Gœthe, je relus *Werther*, que je n'avais pas lu depuis à peu près un demi-siècle, ayant accoutumé de relire plutôt *Faust* et le *Divan*. Je fus certainement moins ému qu'à seize ans ; je ne pleurai point ; mais je fus frappé de la *solidité* de l'ouvrage, de l'admirable disposition des parties, de la progression lente et forte, de tout ce qu'il y a enfin de savant dans cet ouvrage d'un étudiant et qui ne se retrouve plus du tout, beaucoup plus tard, dans les *Affinités électives*.

De même, je ne sais plus à quelle occasion, et peut-être sans occasion, je relus *Leone Leoni*. Chose curieuse, l'émotion sentimentale fut, ce m'a semblé, tout aussi forte, et de plus je m'aperçus d'un mérite incroyable de composition, d'un art, assurément tout instinctif, des *préparations*, des dispositions prises en vue d'amener un effet final, ou en vue d'éclairer d'avance certaines particularités de caractère par où s'expliquent les incidents et les péripéties ; je m'aperçus, en un mot, que le roman, s'il n'était pas aussi bien écrit que je l'eusse désiré, était aussi bien construit qu'une nouvelle de Maupassant. Et ceci est rare dans George Sand ; mais n'est que plus intéressant quand on l'y rencontre.

C'est ainsi qu'à relire, on se compare à soi-même, on note les hausses et les décadences — plus souvent celles-ci — de sa sensibilité ; les pertes et les gains — plus souvent ceux-ci — de notre intelligence générale et de notre intelligence critique, et l'on trace ainsi les courbes de sa vie intellectuelle et morale.

Ajoutez que, quel que soit l'auteur qu'on relise, si l'on sent plus, si l'on sent moins, si l'on comprend plus, si l'on comprend mieux, même si l'on comprend moins ; ce sont en partie les événements mêmes de votre vie qui en sont la cause, et que par conséquent, relire, c'est revivre.

On écrirait très bien une autobiographie avec les impressions comparées de ses lectures et qu'on pourrait intituler *En relisant*. Relire, c'est lire ses mémoires sans se donner la peine de les écrire. C'est peut-être tout profit.

Il va sans dire que tout cela n'arrive que dans le commerce des très grandes œuvres. Un médiocre roman oublié, et qu'on croit n'avoir pas lu, et que l'on reprend en mains vous donne une singulière impression quand on s'aperçoit qu'on l'a lu déjà. Il vous ennuie plus que de droit. On le continue, parce qu'on ne s'en rappelle pas le dénouement et qu'on veut le connaître ; mais on est sûr que l'impression finalement ne sera pas agréable, et l'on s'en veut de céder à la curiosité, ce qui fait paraître le livre plus mauvais qu'il n'est réellement. C'est un fâcheux qui fut douloureux, et qui revient, et qu'on ne reconnaît pas d'abord et qu'on reconnaît, à sa voix, un instant après, avec désespoir. Évidemment, il ne faut relire que ce qu'on a vraiment désir de retrouver. C'est une grande marque, pour un livre, d'excellence ou de conformité avec notre caractère, que le désir que l'on a de le rouvrir. *Iterum quæ digna legi sint.*

CHAPITRE XI

Épilogue

L'art de lire, c'est l'art de penser avec un peu d'aide. Par conséquent, il a les mêmes règles générales que l'art de penser. Il faut penser lentement ; il faut lire lentement ; il faut penser avec circonspection sans donner à grand'erre dans sa pensée et en se faisant sans cesse des objections ; il faut lire avec circonspection et en faisant constamment des objections à l'auteur ; cependant il faut d'abord s'abandonner au train de sa pensée et ne revenir qu'après un certain temps à la discuter, sans quoi l'on ne penserait pas du tout ; il faut faire confiance provisoire à son auteur et ne lui faire des objections qu'après qu'on s'est assuré qu'on l'a bien compris ; mais alors, lui faire toutes celles qui nous viennent à l'esprit et examiner attentivement et s'il n'y a pas répondu, et ce qu'il pourrait y répondre. Ainsi de suite ; car lire, c'est penser avec un autre, penser la pensée d'un autre, et penser la pensée, conforme ou contraire à la sienne, qu'il nous suggère.

Heureux peut-être ceux qui n'ont pas besoin de livre pour penser, et tout à fait malheureux évidemment ceux qui en lisant ne pensent exactement que ce que pense l'auteur ; je ne sais même pas quel plaisir ceux-ci peuvent avoir et je ne puis me le définir. Mais pour ceux qui sont entre les deux extrêmes, et c'est le cas, je pense, de la plupart d'entre nous, le livre, ce petit meuble de l'intelligence, ce petit instrument à mettre en activité notre entendement, ce moteur de l'esprit qui vient au secours de notre paresse et plus souvent de notre insuffisance, et qui nous donne la délicieuse jouissance de croire que nous pensons, alors que nous ne pensons peut-être pas du tout, le livre est un ami précieux et bien cher. Ne nous dissimulons point qu'il a ses défauts. On a dit qu'il ne trompe pas ; j'ai montré qu'il trompe souvent, puisque, par notre faute, à la vérité, il ne paraît pas du tout le même au bout d'un certain temps et nous déçoit.

On a dit qu'il n'est pas importun, oiseux, bavard, puisque c'est un bavard que l'on peut mettre à la porte, sans impolitesse, aussitôt qu'il nous ennuie. C'est une grave erreur ; car un livre peut nous irriter par son bavardage, et en même temps nous empêcher de le fermer, parce qu'il est intéressant et qu'entre deux bavardages on peut s'attendre à quelque chose de très fin qu'il serait fâcheux d'avoir perdu. Bien souvent un livre est tel qu'on voudrait que quelqu'un, qui fût vous-même, car on ne peut s'en reposer que sur soi, en eût marqué les passages intéressants et signalé particulièrement les pages d'une incontestable inutilité.

On a dit que du plus mauvais livre on peut tirer quelque chose de bon et que par conséquent un livre est toujours un ami et un bienfaiteur, et l'on a pu citer en l'appliquant aux livres, cette ligne de Montaigne : « Il sondera la portée d'un chacun : un bouvier, un maçon, un passant, il faut tout mettre en besogne et emprunter chacun selon sa marchandise ; car tout sert en ménage ; *la sottise même et faiblesse d'autrui lui sera instruction* : à contrôler les grâces et façons d'un chacun il s'engendrera envie des bonnes et mépris des mauvaises. »

Ce n'est pas tout à fait vrai, ou je n'en suis pas tout à fait sûr. Il est plus facile d'être assoté par un sot livre que de le rendre intelligent ou de le faire servir à son intelligence par la façon dont on le lit. Le sot livre impose, étant très souvent goûté par une multitude de gens dont le nombre fait impression sur vous, et l'on ne sait pas le discuter avec la pleine liberté d'esprit que suppose Montaigne, ce qui est la seule condition à laquelle il deviendrait de profit. Donc le livre n'est pas toujours un bienfaiteur ; il n'est pas, quel qu'il soit, encore un bienfaiteur.

Il est très vrai aussi que la lecture devient une passion et que, comme toute passion, elle a de singuliers excès. À un certain degré de violence, elle empêche toute action, elle s'oppose à tout emploi énergique de la vie. Le livre est un moly qui empêche les hommes de devenir bêtes aux mains des Circé ; mais c'est un lotos, aussi, qui paraît une nourriture si délicieuse qu'il faut user de violence pour nous arracher au pays où il croît, pour nous faire rentrer dans nos vaisseaux et nous obliger à ramer.

Il n'y a nul doute à cet égard. Il faut s'armer de sagesse même contre les passions les plus innocentes, parce qu'il n'y a pas de passions innocentes, et même en parlant de la lecture il faut dire :

Le sage qui la suit, prompt à se modérer,
Sait boire dans sa coupe et ne pas s'enivrer

Aussi bien chacun sent qu'il y a un art de lire et, si la lecture n'offrait aucun danger, il n'y aurait pas besoin d'art pour s'y livrer.

En revanche, la lecture, certaines précautions prises, est un des moyens de bonheur les plus éprouvés. Elle conduit au bonheur, parce qu'elle conduit à la sagesse et elle conduit à la sagesse parce qu'elle en vient et que c'est son pays même, où naturellement elle aime à mener ses amis. J'ai mon vieillard du Galése ; je l'ai eu du moins, car il m'a précédé au rendez-vous universel. Il était avoué en province. La cinquantaine venue, il vendit son étude et se retira, mais non pas au bord d'un cours d'eau et pour y cultiver les fleurs ; il se retira à la Bibliothèque nationale. Il y passait six heures ou huit heures par jour, selon les saisons. Il avait été attiré à Paris pour deux raisons : parce que, disait-il, c'est la seule ville où la vie intellectuelle et artistique soit à très bon marché ; et parce que c'est la seule ville où l'on vous permette de ne pas appartenir à un parti politique ; et parce que, en conséquence, Paris est la ville des pauvres et des gens tranquilles.

Je le félicitai, en lui recommandant de ne pas se faire d'amis, la Bibliothèque nationale regorgeant d'aimables causeurs qui semblent ne pas aimer la lecture des autres et qui se relayent pour vous empêcher de prendre connaissance du livre que vous venez d'ouvrir. Il me répondit qu'il avait sa méthode, et que, dès qu'un de ceux pour qui la salle de lecture est une salle de conversation venait s'accouder à son fauteuil, il s'endormait immédiatement, ce qui, dans une salle de lecture, comme à un cours public, est dans les mœurs, ne peut froisser personne et n'a pas besoin qu'on s'en excuse.

Comme il n'était pas un grand humaniste, il avait, pour en arriver sans grand effort à lire les auteurs des temps les plus reculés de la langue de France, adopté le procédé suivant. Il avait commencé par lire les auteurs d'aujourd'hui, ceux qui écrivent la langue contemporaine, puis, remontant peu à peu, il avait passé aux auteurs du XIXe siècle, puis à ceux du XVIIIe siècle et ainsi de suite, s'habituant à la langue archaïque par transitions lentes et se faisant, du reste, quoique marchant à reculons, une idée fort nette de la suite de notre civilisation. Je ne doute point qu'avant de mourir, il ne lût très couramment la *Cantilène de Sainte Eulalie*.

C'était bien un vieillard du Galése à sa manière, aussi assidu quoique moins laborieux et aussi sage. Au lieu de cueillir des fleurs, il cueillait avec délicatesse les plus belles idées, les plus beaux récits, les plus beaux dialogues qui aient germé dans l'esprit humain. En latin *legere* signifie *lire* et signifie *cueillir*. Cette langue latine est charmante.

Printed in Great Britain
by Amazon